Enseigner le FLE
(français langue étrangère)
Pratiques de classe

Fabienne Desmons
Françoise Ferchaud
Dominique Godin
Catherine Guerrieri
Christine Guyot-Clément
Sabine Jourdan
Marie-Chantal Kempf
Fédora Lancien
Rachel Razakamanana

Professeurs à l'ILCF–ICP, Paris

BELIN

8, rue Férou - 75278 Paris cedex 06
www.editions-belin.com

© Éditions Belin, 2005   ISSN 1147-5196   ISBN 978-2-7011-**4813**-7

Table des matières

④ Les fiches pratiques 67

L'écrit

Avant-propos

■ UN GUIDE POUR QUI?

Ce guide est conçu pour ceux et celles qui enseignent la langue française généraliste aux apprenants de niveaux A1, A2, B1 et B2 du référentiel européen (*Cadre européen commun de référence pour les langues: apprendre, enseigner, évaluer*, Conseil de la coopération culturelle, Division des langues vivantes, Strasbourg, Éditions Didier, 2001, voir l'annexe).

Ce n'est pas un guide pour l'enseignement de ce que l'on appelle le FOS, c'est-à-dire «français sur objectif spécifique» comme par exemple le français de la médecine ou du droit, ni pour ce que l'on appelle le FLESS, c'est-à-dire «français langue seconde». Cependant, nous pensons que l'enseignant de FLESS peut y puiser des manières de faire en les adaptant à son public.

■ UN GUIDE POUR QUOI?

- Apprendre des manières plurielles d'enseigner le FLE en classe multiculturelle, plurilingue ou monolingue.
- Connaître la diversité des approches pédagogiques par le concret.
- Apprendre à enseigner par le jeu.
- «Oser» faire travailler les sons, les intonations de la langue, la prosodie.
- Mieux connaître le rôle du corps comme celui de l'espace en classe.
- Respecter le temps de travail de celui qui apprend tout en sachant faire des pauses qui le reposent.
- Apprendre à corriger quand il le faut.

- Apprendre à se taire.
- Apprendre à écouter.
- Ne pas faire à la place de celui qui apprend.
- Ne pas jouer sur l'affectif mais apprendre à motiver l'apprenant.
- Mieux connaître ses erreurs et apprendre à changer sa manière de faire.
- Savoir évaluer son travail et celui de ses apprenants.
- Apprendre à ne pas faire mais à laisser faire.
- Ne jamais s'ennuyer et ne pas ennuyer ses étudiants.
- Respecter celui qui apprend en lui proposant des «chemins» variés et stimulants.
- Équilibrer ses cours entre les quatre compétences visées : la compréhension orale, la production orale, la compréhension écrite et la production écrite.
- Aider les «jeunes» enseignants de FLE formés et diplômés, mais qui redoutent les premières heures face à un public réel, exigeant et toujours particulier.
- Travailler avec des supports pédagogiques nouveaux comme anciens : de l'absence de support pédagogique aux sites de l'Internet en passant par des documents pédagogisés ou authentiques oraux, textuels, ou vidéoscopés… en donnant pour chacun des manières de faire différentes selon les objectifs visés.
- Dire qu'aujourd'hui, la méthodologie de l'enseignement du FLE est plus que jamais nécessaire car la richesse des supports proposés y invite ainsi que les motivations des apprenants venus dans nos cours pour apprendre à parler, écrire, communiquer en français.
- Partager modestement avec vous des pratiques de classe – toutes expérimentées in situ (à l'ILCF à l'ICP, à Paris) avec un public international adulte.

■ LES FICHES

Le nombre de fiches de cours pour les activités d'oral est plus important que pour celles d'écrit. Cela tient au nombre d'enseignants qui ont travaillé en équipes : cinq pour l'oral et trois pour l'écrit. Mais ceci est révélateur de l'importance d'un savoir-faire pédagogique lié à la gestion de l'oral tant au plan phonétique que linguistique. En effet, la formation en FLE demande de se former prioritairement au jeu de la communication verbale avec la classe, ce qui requiert un savoir-faire spécifique pour mettre les apprenants en situation de parole «authentique» afin que la mémorisation opère dans de bonnes conditions. Ce savoir-dire est en lui-même fondateur d'un apprentissage capable de donner aux apprenants les moyens linguistiques de leur progression tant orale qu'écrite puisque les activités d'écrit sont corollaires et simultanées à celles de l'oral.

Chaque fiche/déroulement indique le niveau des apprenants, la durée de l'activité, le support, l'objectif linguistique, le matériel et le déroulement suivi de remarques visant à faire comprendre le pourquoi ou le comment de l'activité proposée.

Comme notre équipe enseigne à Paris avec des étudiants adultes du monde entier, la référence à cette ville, son cadre urbain et sa richesse culturelle, est dominante dans les fiches. Nous espérons que le lecteur ne nous en tiendra pas rigueur et qu'il saura transposer les activités proposées dans son propre contexte, puisqu'il sait que le contexte vécu de l'apprenant est prioritaire pour l'apprentissage de la langue. En annexes, vous trouverez la liste des supports se référant aux fiches.

■ CONNAÎTRE L'APPRENANT

Tout apprenant en langues se situe dans un contexte socioculturel défini avec des motivations elles aussi bien définies. C'est pourquoi, apprendre à les observer, à les connaître, **avant** d'élaborer des contenus de cours nous semble indispensable à tout enseignant soucieux de réussir non pas ses cours mais la tâche éducative, linguistique et culturelle, à laquelle il est convié et dont il tient la part royale, celle d'en être l'artisan-créateur. Puisse ce guide l'aider à enseigner avec rigueur, ardeur et imagination.

1

Des choix méthodologiques

Ce guide est nourri et enraciné dans une «philosophie» linguistique et didactique, héritière d'un siècle de méthodes, d'approches linguistiques et pédagogiques, d'ouvertures sur une meilleure connaissance de celui qui apprend. Il est possible de schématiser la situation actuelle en didactique des langues en présentant les trois grandes familles de pensée qui la construisent:
– la famille déterministe et environnementaliste;
– la famille génétique et cognitiviste;
– la famille communicationnelle centrée sur l'apprenant.

Elles informent toutes les trois, simultanément, toute recherche dans le champ de la didactique des langues.

La famille déterministe et environnementaliste

C'est la mieux connue et elle a beaucoup d'adeptes. Elle est celle de chercheurs comme J. Caron et D. Gaonach qui insistent sur le fait qu'il n'y aurait ni évolution linéaire et rationnelle en matière de théorie d'apprentissage, ni possibilité d'appliquer une théorie en pratique. Seules les pratiques en elles-mêmes permettraient de faire avancer la réflexion théorique sur les manières d'apprendre. La trop grande complexité des interactions qui entrent en jeu dans tout processus d'apprentissage ne permet pas d'élaborer une théorie pouvant rendre compte de toutes.

Il nous semble intéressant de donner en résumé les caractéristiques de cette approche car un grand nombre de fiches/déroulements de pratiques de l'oral et de l'écrit en FLE que propose ce guide s'y rattachent en partie. Cela permettra à notre lecteur de mieux en saisir les fondements théoriques.

D. Gaonach[1] définit six caractéristiques principales de son approche:

1. Le langage est un comportement, il faut donc inciter l'élève à pratiquer ce comportement.
2. L'oral est premier.
3. Simuler des situations réelles à travers des dialogues favorise l'apprentissage.
4. Ce qui permet la formation d'automatismes.
5. L'imitation et la mémorisation de modèles aident à la pratique de la langue.
6. Apprendre à utiliser la langue est prioritaire.

Pour ce faire, l'exercice structural n'a pas pour fonction de faire répéter des structures n'ayant aucun sens mais de favoriser les **généralisations** de l'apprenant. Cette attitude pédagogique tire son origine des craintes de voir la langue maternelle influencer la langue d'apprentissage.

Ici, l'on pense que le sujet dispose d'une capacité de représentation mentale qui lui permet de discriminer, de prévoir et de vérifier ses hypothèses. Ce qui est une critique du behaviorisme en vigueur dans les années soixante-dix avec la méthode structuro-globale héritière de Bloomfield et de Harris. L'activité d'apprentissage doit tenir compte de la **globalité** de la langue.

1. GOANAC'H D., *Théories d'apprentissage et acquisistion d'une langue étrangère*, Hatier-Didier, 1991.

La famille génétique et cognitiviste

Elle regroupe trois courants différents: le cognitivisme, l'innéisme de Chomsky et le constructivisme de Piaget. Elle s'intéresse aux processus internes du sujet, sa biologie, c'est-à-dire les modalités d'acquisition de la connaissance. Le principe fondateur est l'idée d'un sujet individuel, idéal et universel. Cette famille mérite que nous en brossions les principes fondamentaux car, comme la précédente, elle informe un grand nombre de fiches/déroulements de pratiques de classe que nous proposons dans ce guide.

Le processus d'acquisition d'une langue peut être vu comme un processus de traitement de l'information, comme un programme biologique ou comme une construction mentale du sujet. Pour les «biologistes/cognitivistes», le langage est une information à traiter comme une autre. Pour les «innéistes» (Chomsky), le langage est un organe mental spécifique, il est inné, et pour les «constructivistes» (Piaget), le langage est secondaire, en rapport avec le développement de l'intelligence humaine. Aux États-Unis, c'est le courant innéiste qui est dominant; en Europe, c'est le courant constructiviste.

■ L'INNÉISME

Il refuse toute idée de déterminisme et d'influence du milieu sur le sujet. Pour cette famille de pensée, le langage est un organe mental autonome. Laissons de côté l'aspect d'une grammaire universelle mise à mal par la grammaire du sens qui seule intéresse celui qui apprend. Cette attitude innéiste a le mérite d'avoir réfléchi au contenu linguistique auquel on expose l'apprenant en langue. Ce qui exige le choix d'un matériel linguistique suffisant et authentique. Les erreurs dans l'acquisition de la langue étrangère sont considérées comme des états d'une langue intermédiaire et instable qui permettent à l'enseignant de repérer les lieux de l'erreur pour y revenir par des contextes nouveaux qui solliciteront la réflexion et l'ancrage de la forme correcte.

■ LE COGNITIVISME

Pour le cognitivisme, le cerveau humain est comme un puissant ordinateur capable de «stocker» des informations dans la mémoire à court terme (celle qui « travaille » en classe) ou à long terme (la mémoire du sens). Cet « ordinateur » traite les informations : perception, attention, mémoire, opérations cognitives qui s'organisent en procédures soit en programmes d'actions soit en suite de règles. Ce qui est stocké par le sujet n'est pas un produit mais « les acquisitions constituent une des conséquences de l'activité cérébrale » : perception, opérations psycholinguistiques, etc. Le rappel de ces acquisitions constitue une réactivation de traces latentes qui correspond à une nouvelle construction mentale qui prend comme base les traces laissées par une activité mentale antérieure, c'est le schéma de la **spirale de l'apprentissage** : solliciter les acquis linguistiques (phonétique, lexique, morphologie et syntaxe de la langue) d'une séance sur une autre est un des principes pédagogiques de base de l'apprentissage de la langue étrangère comme de tout apprentissage.

■ LE CONSTRUCTIVISME

Il ne s'intéresse pas comme le cognitivisme au langage mais à une théorie générale de la connaissance. Les concepts clés de l'épistémologie piagétienne sont donc ceux d'interactionnisme et de constructivisme. **L'interaction** est fondamentale pour la construction du sujet pour Piaget : une sorte de dialectique permanente entre le sujet et son environnement, son milieu, le premier agissant sur le second et se modifiant à son contact. Le terme même de « constructivisme » (construire) s'oppose à la théorie béhavioriste et « mentaliste ». Le rôle de l'action, de l'activité de l'organisme, est primordial et c'est à partir d'elle que s'organisent les connaissances. Les acquis d'un stade sont intégrés au stade suivant. L'apport de cette théorie de la connaissance à la didactique des langues se résume ainsi : l'acquisition de la langue est le résultat d'actions orientées par le sujet pour répondre au milieu dans lequel il est placé. D'où, en pratique de classe, la proposition de « simulation », de jeux de rôles qui permettent à l'apprenant de se mettre par l'imaginaire et le jeu consenti à « agir » en langue d'apprentissage.

En France, un grand nombre de méthodologues se disent « constructivistes ». Parfois, on confond « constructiviste » et « cognitiviste ». L'enseignant cognitiviste considère l'apprenant comme un sujet autonome, capable d'agir sur son apprentissage, de remédier lui-même au traitement de l'erreur si l'enseignant lui permet de la repérer en lui laissant le temps de se corriger, voire de l'expliquer ou de l'expliciter par rapport au système de la langue.

La famille communicationnelle

Elle remplace le sujet «social» au cœur de la réflexion didactique. Le premier point qui caractérise cette famille de pensée est de mettre en avant l'aspect **fonctionnel** de toute communication – c'est-à-dire l'utilité de l'usage de la langue dans la vie quotidienne active, les fonctions de base de la communication.

Il faut prendre en compte la situation dans laquelle un comportement est manifesté. Chaque situation de communication est incluse à l'intérieur d'un vaste ensemble socio-historico-culturel.

La linguistique fonctionnelle et pragmatique permet de mettre en relation signification sociale et réalisation formelle, un rapport intrinsèque entre langue et parole, laquelle est immergée dans un contexte prégnant signifiant. D'où la notion d'**actes de parole** (cf. Référentiel européen). La linguistique pragmatique s'illustre dans la grammaire énonciative de Culioli[2]: la syntaxe est inséparable de la sémantique (la grammaire du sens est la seule qui intéresse l'apprenant).

La dimension pragmatique correspond à cette volonté de construire l'apprentissage sur et à partir des besoins des apprenants: ceux-ci sont au centre de leur apprentissage. D'où la notion de progression et du respect des principes de l'apprentissage. Il y a une imbrication entre l'interaction sociale et la médiation en apprentissage.

La conception de séquences d'enseignement (l'unité didactique et non plus la leçon) s'appuie sur un cycle qui part de l'action impliquée et impliquant l'apprenant pour aller vers la réflexion et la généralisation conceptuelle avant d'être intégrée et structurée dans le cadre de nouvelles interactions.

En pratique de classe, ce sont les **phases de découverte**, de **systématisation** (découverte et analyse du système de la langue), de **fixation** par réemploi dans des activités orales et écrites et de **créativité**.

Savoir repérer les processus cognitifs de l'apprenant en langue – y compris dans le traitement de l'erreur – est fondamental pour l'enseignant en langues, soucieux de l'apprenant pour qui il est le référent linguistique, «le passeur» de savoirs tant linguistiques que culturels.

---

2. CULIOLI A., *Pour une linguistique de l'énonciation,* Ophrys, 1999.

Une nouvelle famille...

Un grand nombre de fiches/déroulements dans ce guide se rattachent, enfin, à la famille plus récente – héritière des recherches sur le fonctionnement du cerveau, le cognitif, mais aussi l'affectif et l'environnemental – représentée et fondée par André Giordan de l'université de Genève[3]. Pour ce modèle «**allostérique**», apprendre veut dire appréhender un nouveau savoir et donc l'intégrer dans une structure de pensée déjà «en place» formée de savoirs propres, antérieurs à la situation éducative.

Pour cette famille de pensée, l'émergence de nouveaux savoirs n'est possible que si l'apprenant saisit ce qu'il peut en faire (**l'intentionnalité**), s'il parvient à modifier sa structure mentale, quitte à la reformuler complètement (**élaboration**), et si ces nouveaux savoirs lui apportent un «plus» dont il peut prendre conscience (**méta-cognition**) sur le plan de l'explication, de la prévision et de l'action. L'affectif, le cognitif et le sens se trouvent intimement liés, en régulations multiples. Et tous trois sont régulés par des facteurs sociaux; l'apprentissage dépend fortement d'un contexte, il se réalise toujours dans un environnement socioculturel.

Il est intéressant de faire remarquer que le Référentiel européen des langues s'est fortement inspiré de ces recherches sur les manières d'apprendre.

---

3. GIORDAN A., *Apprendre*, Belin, 1998. (En particulier, lire le chapitre «Le désir d'apprendre», pp. 95-112.)

2

L'oral

Introduction

Dans la communication, l'oral a toujours précédé l'écrit et occupe une place prédominante dans les relations humaines. L'enfant parle dans sa langue maternelle bien avant de savoir tracer ses premières lettres. De même, l'étranger qui foule un sol francophone se trouve immédiatement confronté à la langue orale : questions du douanier à la descente de l'avion, recherche d'un moyen de transport pour se rendre à son hôtel, etc.

C'est pourquoi l'apprenant de FLE éprouve le besoin d'être rapidement capable de communiquer oralement, ce qui suppose l'acquisition de compétences de compréhension et d'expression. Ces deux aspects de la compétence de communication sont en interaction incessante et continue.

Sophie Moirand[1] distingue les composantes qu'implique la communication :

– **la composante linguistique** : règles syntaxiques, lexicales, sémantiques et phonologiques qui permettent de reconnaître ou de réaliser une grande variété de messages ;

– **la composante discursive** : la connaissance et l'utilisation des différents types de discours à adapter selon les différentes caractéristiques de toute situation de communication ;

---

1. MOIRAND S., *Situations d'écrit,* Clé International, 1979. (Analyse de la communication écrite).

– **la composante référentielle** : la connaissance des domaines d'expérience et de référence ;
– **la composante socio-culturelle** : la connaissance et l'interprétation des règles du système culturel (normes sociales de communication et d'interaction).

Analyser le rôle de ces différentes composantes de la compétence de communication, dans la réception comme dans la production, permet d'instaurer des progressions et de mettre en place des activités d'utilisation «authentique» de la langue qui engagent les apprenants à mettre en œuvre leurs diverses connaissances.

Cette conception de la langue comme outil de communication suppose une méthodologie qui s'appuie sur le postulat suivant : on apprend la grammaire de la langue en communiquant au lieu d'apprendre la grammaire avant de communiquer.

Toutefois, l'enseignant doit aussi tenir compte des spécificités de ses apprenants, à savoir :
– **les objectifs d'apprentissage** : quel français veulent-ils apprendre et pour quoi faire ?
– **l'arrière-plan culturel** : les a priori qu'ils ont de la langue, les habitudes d'apprentissage, la relation enseignant-enseigné ;
– **le rapport entre leur langue maternelle et le français** ;
– **leur histoire personnelle** : formation, profession.

Par exemple, lorsque l'on pratique l'oral avec un public international, on peut être amené à concilier la réserve et le perfectionnisme des étudiants d'origine asiatique avec la spontanéité et l'aisance des étudiants d'origine latine.

Dans le cadre des approches communicatives, on distingue actuellement le système oral de la langue comme un système autonome régi par ses propres lois, distinctes de celles de la langue écrite, ce qui nous amène à parler des spécificités de l'oral.

Les spécificités de l'oral

Si l'on établit un parallèle avec l'écrit, la première particularité de l'oral est son caractère éphémère. En effet lorsqu'on est devant un texte, on a toujours la possibilité de le relire que ce soit pour le comprendre ou pour le modifier si l'on est en phase de production. Rien de tel à l'oral. Certes, dans une situation de communication de la vie courante, on peut faire répéter l'interlocuteur mais il n'est guère envisageable de le faire systématiquement ou trop fréquemment. Par contre, s'il s'agit de comprendre une information diffusée à la radio, à la télévision ou par un haut-parleur dans le métro, une gare ou un aéroport, impossible de recourir à la répétition. De même lorsqu'on s'exprime, il est difficile de se reprendre et de reformuler son énoncé jusqu'à ce qu'il soit correct.

Parler de système oral veut dire tenir compte à la fois de plusieurs facteurs issus tant du discours émis que de la situation de communication dans laquelle il est émis, c'est-à-dire :
– des conditions d'émission et de réception spécifiques incluant les composantes physiques et visuelles de la situation de communication ;
– un discours syntaxique propre organisé avec des répétitions, des ruptures de constructions, des raccourcis, des hésitations, etc. ;
– un découpage en unités significatives linguistiques et extra-linguistiques (groupes de souffle, phonèmes, mais aussi intonations, rythmes et pauses, etc.) ;
– l'existence de facteurs sonores porteurs de sens quant aux intentions communicatives ou indicateurs de la situation, comme les qualités de voix (tendues, agressives, accélérées, ou posées, douces, etc.), les bruits externes et situationnels, les silences, mais également des brouillages ou des interférences.

On peut regrouper ces différents facteurs en trois catégories.

▪ 1. LES TRAITS DE L'ORALITÉ

Ces traits propres à l'oral ont des fonctions syntaxiques et sémantiques variées.

Les traits prosodiques

Ce sont les pauses, les accents d'insistance, les modifications de la courbe intonative, le débit.

Si l'on prend comme exemple les pauses, M. Leybre Peytard et J.-L. Malandrain[2] leur accordent quatre fonctions : une fonction «syntaxico-sémantique», car les pauses opèrent des segmentations dans le discours, soulignant ainsi, parfois, son organisation syntaxique ; une fonction

---

2. LEYBRE-PEYTARD M. & MALANDRAIN J.-L, *Décrire et découper la parole*, BELC, 1982.

«sémantique et argumentative», car elles peuvent produire des effets d'emphase sur certaines unités; une fonction «modalisante», car elles peuvent aider à comprendre l'attitude et l'état d'esprit du locuteur; une fonction «sémiologique», en contribuant à la reconnaissance d'une situation de communication donnée.

En ce qui concerne l'intonation, il est facile d'en démontrer l'importance à l'aide d'un court dialogue faisant apparaître les valeurs intonatives de l'expression «ça va». Le dialogue a lieu dans un café entre le patron, un client et son enfant.

Le patron: Ça va?
Le client: Ça va.
Le patron: Un Ricard?
Le client: Oui… Ça va, merci.
L'enfant: Papa, regarde… Papa?… Mais papa!
Le client: Oh! Ça va!

Les liaisons et les enchaînements

Pour certains étrangers, notamment hispanophones, il est difficile de percevoir la différence entre deux énoncés tels que: «Ils ont peut-être envie» et «Ils sont peut-être en vie» (confusion $[s]$ vs $[z]$).

Les contractions

Elles sont généralement occultées dans l'apprentissage, les enseignants s'attachant à enseigner une langue grammaticalement correcte. Or, dans toute conversation avec des francophones, les raccourcis sont nombreux «Y a qu'à y aller!»; «T'as compris?»; «J'sais pas»; «Y vient pas?». On peut également ajouter les troncations (ne pas donner le mot en entier): «Le prof est absent»; ou «Ce soir, on dîne au resto».

Les hésitations, ruptures, etc.

Il s'agit des hésitations, ruptures de constructions, constructions inachevées et reformulations liées à la linéarité de la chaîne parlée. Il est fréquent de commencer une phrase, de s'interrompre puis de la reprendre différemment. Par exemple: «Je pense que si… enfin on pourrait dire que…»

Les interjections et mots de discours

Ces sont des mots comme «ben, hein, euh, quoi, bof, ah».

Les parasitages (bruits de fond)

De plus, on n'a pas toujours la chance de pouvoir s'entretenir dans une atmosphère calme, propice à la bonne réception de la parole ou encore à la concentration sur le discours de l'autre. Nombre de conversations ont lieu dans la rue, dans un café ou au restaurant et il faut tendre d'autant plus l'oreille et faire abstraction des bruits environnants. La plupart des méthodes FLE tiennent compte de cet aspect de la situation de communication et proposent des activités d'écoute et de compréhension de type «micro-trottoir».

Les interruptions de parole et les conversations croisées

Ce sont des phénomènes très fréquents entre locuteurs français[3].

■ 2. LE JEU SOCIAL

Les accents régionaux

L'étranger qui arrive en France n'entendra pas exactement le même français selon qu'il séjournera à Marseille, Toulouse, Clermont-Ferrand, Lille, Strasbourg ou Paris. Il percevra une langue tantôt chantante, tantôt plus gutturale, «pointue» ou encore chuintante. Le «e» final sera prononcé (dans le sud) ou muet; le «r» sera guttural ou roulé (en Bourgogne, par exemple). À Paris même, il existe un éventail d'accents: l'accent «pied-noir», c'est-à-dire celui des Français d'Algérie; l'accent «beur», caractéristique de certains jeunes Français d'origine maghrébine; et tous les accents régionaux dans la mesure où bon nombre de Parisiens sont originaires de province.

Les accents sociaux

On peut distinguer l'accent «BC-BG» (bon chic-bon genre) des classes sociales aisées du 16e arrondissement de Paris ou de Neuilly et l'accent des jeunes des quartiers populaires de certaines banlieues.

Les registres de langue

Il est évident qu'on ne s'adresse pas de la même façon à un supérieur hiérarchique, à un ami, à une personne âgée ou à un enfant. Outre l'interlocuteur, la situation de communication déterminera le choix du registre de langue: entretien d'embauche, intervention dans une réunion, exposé face à un public, conversation à bâtons rompus dans un café ou dispute avec un voisin[4].

3. DE SALINS G. D., *Une introduction à l'ethnographie de la communication. Pour la formation à l'enseignement du français langue étrangère*, Didier, 1992.
4. BOURDIEU Pierre, *Ce que parler veut dire, L'économie des échanges verbaux*, Fayard 1982

On distingue communément quatre registres de langue : soutenu, courant, familier et argotique. Chacun est marqué à la fois sur le plan syntaxique et lexical. Dans le premier cas, on peut mentionner l'altération des tournures interrogatives et négatives : « Vous habitez où ? », « Tu fais quoi ce week-end ? », « Je crois pas », « J'ai pas d'argent ». Certains pronoms personnels sont tronqués de leur phonème vocalique comme la chute du « u » [y] dans « T'es content ? »

En ce qui concerne le lexique, la langue française dispose dune grande richesse de vocabulaire. Ainsi on peut dire « Ça ne me fait rien » ou « Ça m'est égal » (français courant) ; « Je m'en moque pas mal » ou « Ça me fait ni chaud ni froid » (langue familière) ; « Je m'en balance », « Je m'en fiche » (langue argotique) ou « Je m'en fous » (vulgaire). Les jeunes ont leur langue qui est comme un emblème de solidarité, une marque d'appartenance à un même groupe. C'est une langue qui évolue très vite, avec des expressions à la mode : « C'est trop », « Tu m'étonnes ! » (en fait celui qui parle n'est pas du tout étonné), « Ça craint ! », « Il est grave ! ». Dans la plupart des cas, il s'agit de termes courants mais auxquels est attribuée une nouvelle acception. Enfin le verlan (français à l'envers) est en vigueur depuis déjà plusieurs années : « C'est ouf » pour « c'est fou » ou « une teuf » pour « une fête ».

Les implicites culturels

Il s'agit de références culturelles tout à fait claires pour un locuteur français natif mais difficiles à percevoir pour un étranger : slogans publicitaires, phrases de personnalités, répliques de films, citations littéraires, etc. Par exemple, « Je vous ai compris » dit d'un ton solennel fait référence aux propos devenus célèbres du Général de Gaulle ; « Responsable mais pas coupable » phrase prononcée par un ministre lors de l'affaire du sang contaminé dans les années 90 ; « C'est votre dernier mot ? » est la question récurrente de l'animateur d'un jeu télévisé ; « L'enfer, c'est les Autres » (J.-P. Sartre, *Huis Clos*).

3. LE CORPS

La gestuelle

En France, un haussement d'épaules peut exprimer le doute, l'agacement ou encore le désintérêt. Or, un même geste peut avoir une signification différente selon les cultures. Il est donc important de sensibiliser les apprenants à cette composante de la communication orale pour leur permettre d'interpréter correctement les gestes de leurs interlocuteurs et leur éviter d'avoir eux-mêmes des gestes déplacés ou non-compris[5].

Les mimiques

Les «Latins» laissent facilement transparaître leurs émotions et leurs sentiments sur leur visage. Un froncement de sourcils, une moue de dépit, un sourire ironique, des yeux agrandis, peuvent aisément se substituer à un énoncé.

La proxémie

La distance entre les personnes, les contacts physiques entre les locuteurs, jouent également un rôle important dans la communication orale[6].

La compréhension orale

«Ce qui se perd dans la transcription, c'est tout simplement le corps – du moins ce corps extérieur (contingent) qui, en situation de dialogue, lance vers un autre corps, tout aussi fragile (ou affolé) que lui, des messages dont la seule fonction est en quelque sorte d'accrocher l'autre et de le maintenir dans son état de partenaire.»

R. Barthes, *Le Grain de la voix,* 1962[7].

■ LA COMPRÉHENSION LIÉE À LA SITUATION DE CLASSE

On n'insistera jamais assez sur la constitution préalable du groupe-classe pour que les conditions d'apprentissage soient les meilleures possibles. La communication orale est une série de contacts que chacun, quel que soit son vécu, son histoire, ses difficultés ou ses réussites d'apprentissage, devra nouer avec les autres et avec l'enseignant. C'est un voyage commun, et instaurer un rapport de confiance est donc essentiel, chacun ayant sa place dans cette parole qui va se dire, se nouer et se dénouer.

---

5. DE SALINS, *op. cit.*
6. HALL Edward T. *La dimension cachée,* Collection Points n° 89, Le Seuil, 1966.
7. BARTHES R., «Le grain de la voix», dans *Entretiens*, Le Seuil, 1962.

L'apprenant est confronté à deux types d'interlocuteurs : l'enseignant d'une part, les autres étudiants d'autre part.

L'enseignant donne des consignes, des explications, des conseils, etc. Pour faciliter la compréhension, il a recours à divers procédés : utilisation de synonymes, d'antonymes, de paraphrases, de définitions, voire de gestes, en particulier avec des débutants. Ainsi, le professeur de langue étrangère reformule les signes du message qu'il veut expliquer au moyen des signes déjà connus, déjà acquis, afin de rendre le message assimilable.

On parle alors de traduction «intralinguale» telle que définie par Jakobson[8]. Cette traduction impose le réemploi constant des formes déjà étudiées dans la progression d'apprentissage : la richesse, la justesse d'une bonne explication vient de l'utilisation pertinente des rappels de ce qui a été vu. L'intérêt de cette stratégie est donc double : elle facilite la compréhension et favorise l'acquisition des nouveaux signes, tout en obligeant l'apprenant à mobiliser ce qu'il a appris.

Par ailleurs, il est important d'encourager les apprenants à solliciter un éclaircissement ou une explication supplémentaire s'ils en éprouvent le besoin, ce qui n'est pas toujours facile compte tenu de leurs habitudes d'apprentissage – dans certaines cultures, il est presque impensable de poser des questions au professeur.

La compréhension des uns et des autres en classe dépend de la qualité de l'expression de chacun liée à la prononciation et au respect de la correction linguistique. Là encore, l'enseignant doit encourager le récepteur à intervenir auprès du locuteur pour lui demander de répéter, de reformuler ou de préciser ses propos.

■ LA COMPRÉHENSION ORALE EN TANT QU'OBJECTIF D'APPRENTISSAGE

La compréhension orale est aussi un objectif d'apprentissage qui précède, souvent, la prise de parole. En effet, on ne peut inventer les formes discursives utilisées par un groupe social dans une situation donnée. L'étudiant doit, donc, être exposé à des situations suffisamment diverses pour qu'il en dégage un comportement linguistique adéquat.

Le discours, aussi bien que la langue, s'apprend en situation et non à partir de listes de mots ou de formules. Si l'objectif est centré sur la

---

8. JAKOBSON R., *Essai de linguistique générale* Tome I, Éditions de Minuit, 1963.

demande, l'étudiant doit être à même de comprendre les refus, les hésitations de ses interlocuteurs et être capable de reformuler sa demande avec tact ou insistance ou toute autre nuance qui convienne à la situation. Comment acquérir cette compétence, sinon en écoutant, en mémorisant et observant des dialogues où sont mis en scène ces fonctions de communication ou actes de parole[9]?

Comprendre n'est pas une simple activité de réception d'un message qu'il faudrait décoder mais la reconnaissance de la signification d'un discours et l'identification de fonctions communicatives.

Roman Jakobson a défini les différentes fonctions du langage[10]:
– **la fonction référentielle ou cognitive,** orientée vers le contexte sur le signifié du message;
– **la fonction expressive,** centrée sur le destinateur, qui vise à une expression de l'attitude du sujet par rapport à ce dont il parle;
– **la fonction conative,** orientée vers le destinataire tout comme **la fonction phatique,** très importante à l'oral puisqu'elle sert à établir, prolonger ou interrompre la communication;
– **la fonction métalinguistique,** qui spécifie le discours sur la langue elle-même, est très présente en classe, que ce soit par les termes grammaticaux (qui nomment les fonctions syntaxiques de la langue: sujet, verbe, adjectif, etc. – terminologie qui devrait être employée pour simplifier la compréhension du système de la langue et non l'obscurcir) ou les paraphrases, si présentes en classe, qui aident à comprendre le sens d'un mot ou d'une construction syntaxique;
– **la fonction poétique,** centrée sur le signifiant du message, c'est-à-dire sur le choix d'un mot à la place d'un autre, d'une intonation voulue, ou encore une modalisation du discours (comme l'emploi d'adverbes d'assertion pour mettre en valeur son discours comme «assurément» ou «tout à fait» employés à la place d'un simple «oui»).

Autrement dit, la compréhension suppose la connaissance du système phonologique, la valeur fonctionnelle et sémantique des structures linguistiques, mais aussi la connaissance des règles socio-culturelles. Il est donc préférable d'utiliser des documents sonores authentiques ou du moins vraisemblables, intéressants par leur contenu et variés. Les méthodes FLE éditées en offrent de nombreux.

9. COURTILLON J., *Pour élaborer un cours de FLE*, Hachette, 2002.
10. Jakobson R., *op. cit.*

■ LES SUPPORTS

• Documents sonores : dialogues de méthodes, interviews fabriquées ou authentiques, émissions radiophoniques, etc.
• Documents vidéo : extraits de films, documentaires, spots publicitaires, journaux télévisés, débats, etc.
L'image qui accompagne la parole apporte deux genres d'information : une information de type référentiel (les référents des objets dont on parle peuvent être présents sur l'image) et une information de type situationnel (les locuteurs, les lieux et circonstances de la parole). Elle permet également l'étude des éléments paralinguistiques tels que les gestes et les mimiques. L'image peut donc être facilitatrice, mais elle peut aussi détourner l'attention portée à la perception sonore vers la perception visuelle (d'où la nécessité de bien choisir son objectif avant d'utiliser des documents vidéo).

La perception auditive

C'est une des principales difficultés dans l'accès au sens de l'oral, pour un débutant. Elle réside dans la découverte de la signification à travers une suite de sons. Identifier la forme auditive du message, percevoir les traits prosodiques ainsi que la segmentation des signes oraux et y reconnaître des unités de sens sont des opérations difficiles, d'autant plus que l'apprenant est conditionné par son propre système phonologique pour apprécier les sons de la langue étrangère.

On ne peut percevoir que ce que l'on a appris à percevoir[11]. D'où l'importance de la langue maternelle de l'apprenant ; le temps passé pour comprendre un document sonore et en percevoir l'organisation est sans commune mesure, selon que la langue maternelle de l'apprenant est proche de la langue française ou non.

■ LES STRATÉGIES D'ÉCOUTE ET LES OBJECTIFS D'ÉCOUTE

L'écoute, à la différence de la perception auditive, est une pratique volontaire, une attitude, un désir ou un refus. L'atmosphère, la motivation, le type de document choisi, sa longueur, la voix enregistrée… attirent ou bloquent celui qui écoute, soutiennent l'intérêt ou au contraire font décrocher l'attention. Il convient donc de jouer sur la diversité des locuteurs et des contenus.

---

11. Cuq J-P & Gruca I., *Cours de didactique du FLE et langue seconde*, PUG, 2002.

Enseigner à comprendre signifie donner à l'apprenant les moyens de repérer des indices dans un document, d'établir des liens, de mettre en relation, de déduire.

• Une première stratégie d'écoute sera donc la reconnaissance des voix, du nombre de locuteurs, des éléments paralinguistiques tels que les pauses ou les accents d'insistance qui facilitent la compréhension des modalités de la parole (l'interrogation, la négation, le doute, la surprise, l'indignation, etc.).

• On privilégiera ensuite une écoute globale suivie et non fragmentée du document pour en faire saisir le sens général.

• Suivra une écoute sélective, pour laquelle des questions préétablies permettront à l'apprenant de retrouver des informations «ciblées» qu'il recherche dans le document.

• Enfin, une écoute détaillée peut permettre de reconstituer, voire de reformuler, le document dans son ensemble.

Que ce soit une compréhension partielle ou totale, globale ou détaillée, il est nécessaire de placer l'apprenant dans une situation d'**écoute active**, c'est-à-dire de lui donner une tâche précise à accomplir avant l'écoute du document. On peut aussi le préparer à l'écoute par une discussion sur le thème ou les aspects culturels abordés, par des associations de mots ou d'idées à partir d'un mot donné, par l'analyse d'une photo ou encore en faisant appel à son vécu.

La vérification de la compréhension

Le document est donné à comprendre, il ne doit être ni expliqué par le professeur, ni traduit ; les apprenants développent ainsi la faculté de repérer les indices et d'inférer, c'est-à-dire de déduire le sens d'un mot d'après le contexte. L'habitude d'inférer instaure la confiance en soi et l'autonomie. Une découverte qui est le résultat d'une recherche de l'étudiant le place dans une situation plus active et donc plus réceptive que lorsqu'il reçoit simplement une information.

La compréhension doit être interactive

Après avoir entendu une fois le document, les étudiants sont invités à échanger avec leur partenaire ce qu'ils ont compris. À la deuxième écoute, les attentes seront confirmées, infirmées ou elles persisteront. Entre la première et la deuxième écoute, le taux de compréhension augmente sensiblement, puis graduellement jusqu'à la quatrième ou cinquième écoute. Puis la fatigue ou le désintérêt risque de s'installer ; il faut donc bien gérer le nombre d'écoutes. Il est utile de compléter la compréhension par la transcription du document sonore, distribuée à la fin de l'activité de compréhension.

L'expression orale

L'enseignant est là pour guider, voire « libérer » la parole de l'apprenant, car il n'est pas évident de « prendre » la parole en langue étrangère. L'oral implique un travail sur les sons, sur le rythme, sur l'intonation et il s'agit pour l'apprenant de se familiariser avec ces différents moyens, de se les approprier peu à peu.

Après une phase de perception active, les apprenants vont retenir et s'approprier les acquisitions fonctionnelles et linguistiques faites préalablement dans les dialogues entendus, compris et expliqués. Ils ne vont pas seulement recevoir des informations mais en produire et en recevoir d'un autre dans une situation de face-à-face.

Dans ce but, le **jeu de rôles** est certainement l'activité à privilégier, du moins au début de l'apprentissage (A1, A2). On propose donc aux apprenants des scénarios fonctionnels, on leur fournit la situation (le lieu, l'action), les rôles (les différents personnages), l'objectif à réaliser (demander des informations, faire un achat, inviter quelqu'un au téléphone, donner un conseil à un ami…) la consigne à suivre est de respecter la situation, l'intonation, les formes linguistiques proposées.

Une autre activité de production orale conçue pour conduire l'apprenant à une production plus libre, mais à partir de contraintes, est la **simulation globale** dans laquelle les apprenants eux-mêmes créent un décor, des événements, des personnages et un contexte situationnel (les habitants d'un immeuble, une association de quartier…).

D'autres activités de production libre proposent aux apprenants, à partir de quelques contraintes, de décrire (des images, une publicité…), d'inventer une histoire (à partir d'une série d'images, à partir d'une phrase…), d'argumenter afin de faire communiquer les apprenants de la manière la plus authentique possible. Même si la situation en classe est toujours artificielle, la motivation doit être là et favoriser le désir de communiquer et la liberté de parole. Cette artificialité est acceptée par tous les apprenants une fois qu'ils ont compris que c'est la meilleure manière d'apprendre « en jouant », à être dans le jeu de la parole en langue d'apprentissage pour « être mieux » ensuite en dehors de la classe et en particulier quand ils seront au cœur de situations vécues où la langue d'apprentissage leur sera indispensable.

L'évaluation de l'oral

L'évaluation de l'oral repose sur des outils propres aux deux compétences étant entendu que «n'importe quel auxiliaire ne convient pas forcément à l'évaluation de différentes capacités, l'expression étant certainement le domaine le plus difficile à apprécier»[12].

■ ÉVALUER LA COMPRÉHENSION ORALE

Évaluer la compréhension orale, c'est se doter d'outils qui permettent le repérage d'informations à l'écoute d'une chaîne sonore en fonction des objectifs recherchés. Pour cela, on peut utiliser des «exercices d'écoute», terme regroupant un certain nombre d'outils de mesure dits fermés qui consistent à n'attendre qu'une seule et unique réponse à une question donnée. En voici quelques exemples, les plus «classiques»[13]. Ces exercices ont deux avantages : ils sont mesurables (il n'y a pas d'ambiguïté dans la réponse) et adaptables (ils peuvent être utilisés à tous les niveaux et concerner la compréhension globale aussi bien que détaillée). Ils ont cependant leurs limites.

Le questionnaire à choix multiple (QCM)

Il est sujet à l'aléatoire. L'apprenant peut en effet décider de cocher une case au hasard s'il ne connaît pas la réponse. Comment limiter alors cette part de hasard ? On peut prévoir une case «pas de réponse» ou «on ne sait pas», ce qui implique la construction d'un QCM d'au moins 4 cases. On peut également pénaliser une réponse fausse.

Le texte d'appariement

On rencontre le même problème avec le texte d'appariement : comme l'exercice consiste à relier entre eux des éléments, l'apprenant peut être tenté de relier ces éléments au hasard s'il a des difficultés à comprendre le document. On ne peut pas rajouter de case mais on peut envisager, comme pour le QCM, de pénaliser une réponse fausse.

2. L'oral

---

12. *ibid.*
13. cf. *Exercices d'oral en contexte*, niveau débutant, Hachette 2001.

Le questionnaire à réponses ouvertes

Le questionnaire à réponses ouvertes devient un outil moins «performant» dès lors que les réponses sont longues donc rédigées : il faut alors déterminer quelle part accorder à la correction de la langue ; en effet, la réponse peut être celle attendue mais très mal rédigée. En ayant déterminé la part de la langue dans la correction, on évitera de se laisser influencer par la rédaction au détriment de la réponse elle-même.

Le texte à trous

Le texte à trous ne présente pas de limite particulière.

Enfin, pour varier une évaluation, on peut mélanger des types d'exercices (exemple : QCM + questionnaire à réponses ouvertes courtes) comme le proposent les épreuves du DELF et du DALF.

■ ÉVALUER L'EXPRESSION ORALE

C'est la plus difficile des deux compétences à évaluer : en effet, nous sommes constamment renvoyés à son caractère éphémère.

L'évaluation immédiate

C'est l'outil le plus fréquemment employé dans la classe : sous forme de reprise ou de reformulation, l'enseignant intervient dans sa classe au cours des échanges. On compte quatre modalités verbales d'évaluation (le geste sans la parole pouvant se substituer au verbal) :
– l'évaluation positive directe. L'énoncé de l'apprenant est repris tel quel accompagné généralement de «oui, bien, d'accord…» ;
– l'évaluation positive indirecte. Reprise de l'énoncé de l'apprenant sans marques de satisfaction de l'enseignant ;
– l'évaluation négative indirecte. L'enseignant reprend l'énoncé fautif de l'apprenant en le corrigeant, mais sans jugement ni marqueur négatif ;
– l'évaluation négative directe. C'est la même que la précédente à laquelle on ajoute des commentaires et le morphème «non».

On peut en ajouter une cinquième, l'absence d'évaluation : l'enseignant n'intervient pas dans les échanges verbaux. Il n'intervient qu'à la fin de la prise de parole.

L'évaluation différée

C'est celle qui permet à l'enseignant d'avoir un recul par rapport aux énoncés des apprenants. Il évite ainsi d'interrompre celui qui parle, ce qui serait la manière la plus désastreuse de faire. Et surtout, grâce à des phases de cours bien définies, comme par exemple le jeu de rôles (à proposer systématiquement en début d'apprentissage), il organise l'évaluation de l'oral avec tout le groupe-classe qui «écoute» et intervient après le «jeu» d'oral présenté par les groupes d'apprenants-acteurs. Cette correction – évaluative – est prétexte à révision, reformulation de la langue, des manières de dire ; elle favorise la mémorisation et encourage la prise de parole. Les outils sont (a) l'enregistrement de tout ou partie d'un cours ; l'enseignant peut revenir à sa guise sur telle ou telle partie qu'il aura choisi d'évaluer ; (b) le jeu de rôle : semi-improvisation ou improvisation selon les objectifs fixés ; l'enseignant à l'aide d'une grille d'évaluation mesure les compétences des apprenants.

■ EN CONCLUSION

L'évaluation des compétences langagières de celui qui apprend se construit selon deux dominantes majeures : soit elle est **formative**, c'est-à-dire qu'elle est intégrée à la progression et aide l'apprenant à prendre conscience de ses acquis (de compréhension et d'expression orale) et de ses faiblesses (traitement de l'erreur envisagée selon un processus positif de lieu d'explicitation du système linguistique) ; soit elle est **sommative** – c'est-à-dire qu'elle évalue en fin de parcours, un niveau de compétences acquises (cf. les évaluations proposées pour le DELF ou le DALF). Nous vous renvoyons aux objectifs de communication orale et aux contenus tels qu'ils sont listés et proposés par les documents officiels.

La phonétique

Tout acte langagier suppose la présence d'au moins deux personnes : celle qui parle et celle qui écoute. L'une produit des sons, l'autre les entend et les interprète. L'enseignant et l'apprenant d'une langue étrangère jouent alternativement ces deux rôles d'«écouteur» et de «locuteur» dans la classe. Ce qui les relie, c'est la chaîne sonore, champ d'application de la phonétique.

Même si, dans la culture française, l'écrit a toujours été considéré comme plus prestigieux que l'oral, il n'en demeure pas moins que dans la vie courante nous parlons plus que nous n'écrivons. Nous communiquons plus oralement qu'à l'écrit.

2. L'oral

◼ LE PRINCIPE DE LA RÉCURSIVITÉ

L'oral est par nature fugace et se réalise sous des formes infinies, c'est le principe de la récursivité.

Cette citation d'*Alice au pays des merveilles* de Lewis Carroll est évoquée par Marina Yaguello dans son ouvrage *Alice au Pays du langage*[14] : « N'imaginez jamais que vous ne soyez pas autre chose que ce qu'il pourrait sembler aux autres que vous étiez ou que ce que vous aviez été n'était pas autre chose que ce qu'il aurait semblé aux autres que vous auriez été autrement », dit la Duchesse à Alice. Il s'agit ici de la juxtaposition de propositions. Ces énoncés sont corrects au niveau de la syntaxe ; quant au sens, il est traduisible dans n'importe quelle langue.

La loi de la récursivité permet à tout locuteur natif d'une langue donnée de générer un nombre d'énoncés infinis à partir d'un nombre fini d'unités, c'est-à-dire d'énoncer et de comprendre spontanément un nombre infini de phrases jamais dites ou entendues auparavant. C'est la règle de récursivité qui confère au langage sa créativité.

À l'oral, l'étudiant n'est plus dans la situation de sécurité offerte par l'écrit, qui par sa permanence permet à l'apprenant de procéder à des vérifications autant de fois que nécessaire : « Je crois que je comprendrais mieux, dit Alice très poliment, si vous pouviez me mettre ça par écrit, mais tel que vous le dites, je ne vous suis pas tout à fait. »[15]

Verba volent, scripta manent (les paroles s'envolent, les écrits restent). L'écrit est par nature plus conservateur que l'oral : en effet l'écrit retient l'histoire de la langue autant dans sa graphie – par exemple, dans « pied », « d » est une trace du mot latin *pedem* – que dans sa syntaxe – par exemple, le « ne » de la négation en voie de disparition à l'oral. On ne peut aborder l'oral et en particulier la phonétique sans poser la question : Quel français enseigner ?

La non-maîtrise de l'oral, en particulier du système phonétique de la langue cible, peut mettre l'apprenant dans une situation très inconfortable : il n'est pas ou mal compris et vice versa. De telles situations vécues trop fréquemment par l'apprenant le conduiront au découragement, à la crainte de prendre la parole, ce qui retardera d'autant son apprentissage.

---

14. Y<small>AGUELLO</small> M., *Alice au pays du langage (pour comprendre la linguistique)*, Le Seuil, 1981.
15. *ibid.*

QUEL FRANÇAIS ENSEIGNER?

Une langue n'est pas un modèle fini. On y observe des variations, régionales, sociales, individuelles, sans compter que le «français oral» subit en permanence des influences externes et que celui d'aujourd'hui n'est déjà plus tout à fait le même que le français d'il y a dix ans.

Devant la variété de tous ces français, l'enseignant devra présenter de façon explicite, à son groupe d'apprenants, le système phonétique choisi. S'agira-t-il du français du Québec, du français méridional ou du français standard? Le français standard est celui que l'on entend à la radio ou à la télévision, par exemple. Si l'enseignant décide de proposer le français standard contemporain de France, il ne prendra en compte que 32 phonèmes au lieu de 34. La plupart des tableaux du système phonétique du français dans les divers manuels proposent 34 phonèmes:

VOYELLES ORALES			
[u]	pour	[ɔ]	port
[y]	pur	[a]	patte[1]
[i]	pire	[ɑ]	pâte[2]
[ø]	peu	[e]	thé
[œ]	peur	[ɛ]	terre
[o]	peau	[ə]	te
VOYELLES NASALES			
[ɔ̃]	pont	[ɛ̃]	brin[3]
[ɑ̃]	pan	[œ̃]	brun[4]
SEMI-VOYELLES			
[j]	lieu	[w]	louis
[ɥ]	lui		

CONSONNES			
[p]	pas	[ŋ]	parki<u>ng</u>
[b]	bas	[ʀ]	rue
[f]	fou	[l]	lille
[v]	vous	[m]	mer
[t]	tu	[n]	nez
[d]	du	[ɲ]	monta<u>gne</u>
[s]	poisson		
[z]	poison		
[ʃ]	chou		
[ʒ]	joue		
[k]	car		
[g]	gare		

* Certaines oppositions vocaliques telles que [1] et [2] (correspondant respectivement aux mots «patte/pâte») ou [3] et [4] (correspondant respectivement aux mots «brin/brun») tendent à disparaître. Le nombre d'oppositions de ces phonèmes étant très réduit, on a tendance à réaliser les formes les plus utilisées. C'est ainsi que l'opposition [1]/[2] disparaît au profit de [1] et que l'opposition [3]/[4] disparaît au profit de [3]. Devant ce constat, il paraît inutile d'enseigner les phonèmes [2] et [4] alors qu'on ne les entend plus dans le français standard. C'est pourquoi nous ne prendrons en compte que 32 phonèmes dans notre programme.

2. L'oral

■ AUDITION, PERCEPTION, PRODUCTION

Quand l'apprenant entend la langue-cible pour la première fois, il perçoit la chaîne sonore: un ensemble continu et par nature éphémère. C'est l'**audition**: «capacité physique de l'oreille à entendre»[16]. Il essaie de chercher des repères pour le segmenter et en faciliter la compréhension. C'est la **perception**: «interprétation de la réalité physique par l'intervention de l'activité mentale dans le processus auditif»[17].

Pour la **production**, l'enseignant de phonétique le guide en partant, lui, de la plus petite unité sonore, le phonème, en le conduisant jusqu'à la phrase, ensemble de sens, par l'intermédiaire de la syllabe et des groupes rythmiques. Ce travail consiste à passer en permanence de la perception à la production des sons et vice versa.

Une des tâches les plus importantes d'un enseignement/apprentissage de la phonétique consiste effectivement à élargir la perception et à assouplir «l'articulation». Les apprenants devront apprendre à «écouter» aussi bien le modèle (le professeur) qu'eux-mêmes. Ils devront également faire de nombreux exercices pour assouplir les organes de la parole (la musculation, l'aperture, le souffle, le rythme, l'accentuation prosodique...).

Du côté de l'apprenant, des facteurs de tous ordres viennent soit faciliter, soit perturber cette double activité:

Facteurs d'ordre individuel

Son âge, sa curiosité ou sa timidité, ses motivations personnelles ou professionnelles, ses stratégies d'apprentissage...;

Facteurs d'ordre linguistique

• L'éventuelle proximité des sons de sa langue maternelle avec ceux de la langue-cible: la langue maternelle fonctionne comme un filtre (voir page 38) qui élimine tout ce qui ne lui est pas pertinent.
• Sa connaissance d'une ou de plusieurs autres langues qui auront déjà «assoupli» ou «élargi» le filtre...
• La proximité de son système graphique avec celui du français qui, elle, peut engendrer de graves interférences, la relation entre l'écriture (ou graphie) et la prononciation (ou phonie) pouvant perturber la production et la perception des sons. Par exemple, le cas de la lettre «e» dans les

---

16. Définition donnée par E. GUIMBRETIERE dans *Phonétique et enseignement de l'oral*, Didier/Hatier, 1994.
17. *ibid.*

langues qui utilisent l'alphabet romain. Prenons le cas de l'espagnol qui prononcera toujours le «e» [e], ce qui produira invariablement «tu les vois» au lieu de «tu le vois», «j'écris» au lieu de «je crie» ou «j'essuie» au lieu de «je suis», etc.

Facteurs d'ordre sociolinguistique

Le statut de sa propre langue par rapport à celui de la langue-cible… Par exemple, le facteur du prestige de l'une des langues par rapport à l'autre[18]. Si l'apprenant pense que sa langue est plus performante, plus utilisée dans le monde et donc plus utile, pourquoi se fatiguerait-il à apprendre une langue qui, finalement, paraît bien compliquée et qui, tout compte fait, ne servira pas à grand-chose.

■ FACTEURS QUI ORIENTENT LA PÉDAGOGIE DE L'ENSEIGNANT

Du côté de l'enseignant, en plus des facteurs linguistiques précités pour l'apprenant, c'est aussi la composition de son public qui crée d'autres facteurs et orientera sa ligne pédagogique.

L'enseignant non francophone

S'il n'est pas francophone d'origine et qu'il partage la même langue maternelle que ses élèves, sa tâche en est facilitée car il connaît par expérience leurs difficultés. Il pourra, par exemple, hiérarchiser l'acquisition des nouveaux phonèmes même si, par définition, il ne possède ni l'assurance ni le crédit de celui qui enseigne sa langue maternelle. Par exemple, un anglophone veillera à ce que les apprenants ne diphtonguent pas les voyelles françaises («thé» ne se prononce pas [teɪ] mais [te]). Il portera également une attention particulière à la prononciation du «r», car en anglais l'articulation se caractérise par la pointe de la langue vers le haut alors qu'en français c'est justement le contraire, la pointe de la langue en bas. De plus, le [r] anglo-américain déforme les voyelles avoisinantes. La graphie «a» en français se prononce toujours de la même façon, alors qu'en anglais cette graphie se prononce de multiples façons comme par exemple: *face* [eɪ], *car* [kɑː], *a glass of water* [ə glɑːs əv 'wɔːtə] (le premier «a» devient [ə] le deuxième devient [ɑː] et le troisième devient [ɔː]).

---

18. cf. WEINREICH U., *Languages in contact, findings and problems,* Mouton, 1970.

L'enseignant francophone

S'il est francophone d'origine et que les apprenants représentent un public linguistiquement homogène, dont il connaît la langue, son cas est très proche du précédent. Dans le cas où il ne connaît pas la langue maternelle des apprenants, il suivra au départ l'ordre standard d'acquisition des phonèmes français : les voyelles, les consonnes, la liaison, les groupes rythmiques, l'intonation.

S'il est francophone d'origine et que les apprenants représentent un public linguistiquement hétérogène, il suivra également l'ordre standard en exploitant au besoin les différences entre les langues représentées pour montrer à quel point la langue maternelle peut être responsable des difficultés que l'apprenant, lui, éprouve de manière purement individuelle.

■ LA PRODUCTION : ARTICULATION DES SONS ET FILTRE PERCEPTIF

L'articulation

C'est l'air expiré des poumons qui, en passant par la glotte, le larynx, le pharynx, les cavités buccale et nasale, et les lèvres, produit les sons (voyelles) et les bruits (consonnes). Toute modification dans ce conduit que traverse l'air produira une différence de son ou de bruit.

Le filtre

Aucune langue n'exploite la totalité des possibilités articulatoires existantes. Chacune opère une sélection d'où résulte son propre système phonétique. La plupart des langues du monde ne retiennent qu'entre 30 et 50 phonèmes, chacun des sons et des bruits qui les composent devient signifiant. C'est cette organisation complexe qui réagit comme un **filtre** lors du contact avec une autre langue : il rejette ou transforme ce qui lui est étranger, il interprète. La perception auditive est sélective, nous ne percevons que les éléments choisis, ceux que nous connaissons : « L'homme perçoit ce qu'il a appris à percevoir. »[19]

Exemples d'erreurs de perception des sons étrangers

Le locuteur français ne possède ni le « th » anglais (prononcé [ð] ou [θ]), ni le [h]. Dans le premier cas, le francophone utilisera des approxi-

---

19. MALMBERG B., *La phonétique*, PUF (Que sais-je ?), 1971.

mations. Le mot *thin* (= mince) sera prononcé [sɪn]. Ce faisant il provoque
une confusion entre les mots *thin* et *sin* (*sin* = péché), ce qui pourrait
produire par exemple la phrase : «Cet homme est péché.» On comprend
bien ici les quiproquos possibles d'une langue à l'autre. Le filtre n'a pas
rejeté le phonème inconnu, il l'a assimilé à un phonème voisin, avec les
conséquences décrites ci-dessus. Pour le [h], le français va l'ignorer et
prononcera de la même manière les mots anglais *hat* (= chapeau) et *at*
(= à).

Le locuteur espagnol ne possède pas les voyelles [y] (comme dans
«rue») ni [œ] (comme dans «cœur»). Il utilisera les approximations ([u]
pour [y] et [ɔ] pour [œ]) et prononcera «roue» à la place du premier mot,
«corps» à la place du deuxième.

Dans tous ces cas, il résulte des confusions préjudiciables à la communication, mais elles peuvent provenir de facteurs plus complexes où
la perception des sons étrangers n'est pas seule à intervenir : le système
d'écriture (graphie) d'une langue crée des interférences dans la perception de sa prononciation (phonie).

Exemples d'interférences générées par la graphie

Si le francophone omet de prononcer le [h] plutôt que de lui trouver une
approximation, c'est parce que l'anglais et le français partagent le même
alphabet et que cette lettre est muette en français.

Si l'hispanophone prononce «roue» pour «rue», c'est que non seulement les phonèmes [y] et [u] ont des traits articulatoires communs (ces
deux voyelles sont arrondies et fermées) mais encore parce que la lettre
«u» en espagnol se prononce [u] et non [y].

Ces derniers exemples illustrent bien le fait que la perception d'un
nouveau son ne ressort pas uniquement du domaine auditif mais peut aussi
passer par la relation avec l'écrit (relation graphie-phonie). Ce genre
d'interférences n'existe pas lorsque les deux langues en contact ne pos-
sèdent pas le même système d'écriture : différents alphabets, (romain, cyril-
lique, arabe, géorgien) ou idéogrammes.

■ GRAPHIE/PHONIE

Notre système phonétique (français standard, voir ci-dessus : Quel français
enseigner ?) compte 32 phonèmes, alors que notre alphabet, qui est censé
traduire à l'écrit la forme sonore, ne compte que 26 lettres, (a, b, c, d, e,
f, g, h, i, j, k, l, m, n, o, p, q, r, s, t, u, v, w, x, y, z). Il n'y a pas d'équi-
valence immédiate entre le système écrit et le système oral.

Un signe = plusieurs prononciations

Un même signe écrit peut correspondre à plusieurs prononciations. Ex: les deux lettres «e» de chercher; le premier «e» se prononce $[\varepsilon]$ et le deuxième se prononce $[e]$.

Une prononciation = plusieurs graphies

Une même prononciation peut correspondre à plusieurs graphies. Ex: $[\tilde{\varepsilon}]$ (faim, vain, fin, simple, rien, frein, sympa, syndicat, Reims, examen, un...); d'où la nécessité en pratique de classe de faire des exercices de phonie/graphie ou graphie/phonie (voir pp. 68-84).

■ IMPORTANCE DE LA MÉMOIRE

On sait que la mémoire se présente sous trois formes:
– la mémoire immédiate (durée 1minute pour 7 à 8 éléments sensoriels);
– la mémoire à court terme (quelques minutes);
– la mémoire à long terme (jours, semaines, années);

«Les étapes de la mémoire: encodage, stockage, rappel et reconnaissance, sont intimement liées au processus d'apprentissage (enregistrement d'information – traitement – production) les désordres de l'une vont toujours de pair avec les désordres de l'autre».[20] Comme l'écrit aussi Henri Laborit: «En phonétique la simple répétition ne favorise aucunement l'encodage, elle peut au contraire démobiliser l'attention.»[21] Ce qui justifie d'enseigner la phonétique dans des contextes signifiants.

■ MATÉRIEL

Pour l'enseignement/apprentissage de la phonétique, il est recommandé d'avoir accès à un laboratoire de langues. Le fait de travailler dans des cabines séparées permet à l'apprenant de travailler individuellement; cette situation lui donne confiance et envie d'essayer encore et encore, ceci sans être observé par les autres étudiants. En effet, c'est un lieu où il peut se libérer d'un des handicaps de l'apprentissage comme l'inhibition. C'est aussi un des seuls moments de son apprentissage où il apprend à s'écouter, si possible à repérer lui-même ses erreurs et à s'auto-corriger (dimension

---

20. TROCME-FABRE H., *J'apprends donc je suis*, Éditions d'Organisation, 1992.
21. LABORIT H.

fondamentale pour assurer sa réussite). L'apprenant écoute, compare, répète autant de fois qu'il le désire; ce moment privilégié aide à la mémorisation.

Cependant, si l'enseignant ne dispose pas d'un laboratoire de langues, il fera travailler les phonèmes de la langue soit dans un contexte de phrases, soit de phonèmes isolés à l'occasion du traitement de l'erreur qu'elle soit «orale «ou «écrite».

Les fiches de phonétique présentées dans ce guide proposent des pratiques de classe n'utilisant pas de laboratoire de langue.

Concernant le travail articulatoire, de petits miroirs de poche apportés par les apprenants les aident à prendre conscience des mouvements labiaux à faire. Il est frappant d'observer que certains apprenants pensent arrondir les lèvres alors qu'ils les gardent en position de «sourire». Cette «gymnastique articulatoire» est, donc, facilitée par ce petit miroir.

■ TRAITEMENT DE L'ERREUR

L'erreur phonétique est un élément important de la manière de construire la progression du cours. Il faut reconnaître d'où vient l'erreur. Est-ce un problème d'interférence de la langue maternelle vers la langue-cible ou s'agit-il d'une erreur purement articulatoire ou prosodique?

Quelles erreurs corriger et comment?

Il faut corriger aussi souvent que possible les erreurs qui empêchent l'intelligibilité du mot ou de la phrase. On sait déjà que certains groupes linguistiques, comme par exemple les hispanophones, vont avoir à travailler systématiquement l'arrondissement des lèvres pour le $[\ə]$; dans la plupart des méthodes comme par exemple *Exercices systématiques de prononciation française* de Monique Léon[22], on trouve au début de chaque «leçon» la description des difficultés inhérentes à chaque groupe linguistique.

On sait, par exemple, que certains apprenants du groupe vont faire des erreurs correspondant à l'arrondissement du «e». Il faut donc trouver un code gestuel entre le professeur et l'apprenant pour que ce dernier se corrige systématiquement pour ce type d'erreur, chaque fois que le professeur le signalera. Il suffit par exemple de montrer un rond avec sa main; on procédera de la même façon, lorsqu'il s'agit du rythme, ou de l'accentuation.

2. L'oral

---

22. Léon M., *Exercices systématiques de prononciation française,* Hachette, 1964.

Si l'on dispose d'un laboratoire, on peut corriger l'apprenant de façon individuelle et insister sur les améliorations à apporter pour les erreurs caractéristiques de son groupe linguistique.

On peut aussi corriger l'apprenant au sein du groupe, en provoquant des situations interactives. On peut proposer des activités comme, par exemple, la fiche «dictée interactive» (page 73). Cette pratique met les apprenants en situation d'éveil aussi bien en ce qui concerne la production que la perception. Ils sont en mesure de repérer eux-mêmes les erreurs et de proposer une solution; l'enseignant est là pour finalement valider une des propositions. Ils se corrigent ensuite par mimétisme.

En effet, lorsque l'apprenant peut entendre son erreur, lorsque le groupe peut l'entendre, lorsque, à la faveur d'une prononciation erronée, le groupe et l'auteur de l'erreur entament entre eux le processus d'un travail d'écoute, d'essai, de comparaison, de nouveaux essais, et qu'entre eux, ils affinent, ils affûtent leur écoute et leur articulation, nous considérons alors qu'ils sont au cœur même d'un apprentissage actif mettant la plupart des paramètres neurolinguistiques en activité.

Quand corriger les erreurs?

Si, dans la classe, on est dans une phase de découverte et d'essais, il faut passer du temps à corriger les erreurs d'articulation ou de prosodie comme nous l'avons signalé plus haut. La meilleure façon étant de le faire faire de façon interactive par le groupe; cette pratique est «dévoreuse de temps», mais elle permet à tout le groupe de s'investir et d'être le plus souvent possible en phase d'essai; c'est donc un choix de l'enseignant.

Si l'apprenant s'exprime spontanément, il ne faut pas le corriger pendant qu'il parle, mais, lorsqu'il a fini, lui signaler les erreurs les plus importantes (celles qui nuisent à la compréhension ou celles spécifiques à son groupe linguistique) et lui proposer à ce moment-là de répéter les phrases fautives pour qu'il puisse les améliorer. Ces phrases étant les siennes, il sera d'autant plus motivé. Cette pratique nous semble importante car l'apprenant n'est plus dans l'environnement fictif d'un enseignement/apprentissage mais dans la communication. Il verra ainsi quelles sont les étapes supplémentaires à franchir pour transférer le travail conscient fait en classe et l'application qui peut en être faite lors d'une communication réelle.

En classe de phonétique, le travail se fait souvent sur des groupes rythmiques variant entre 6 et 18 syllabes et même plus courts: mots syllabiques en paires minimales, slogans, dictons… On peut aussi demander aux apprenants de travailler sur des corpus plus longs après leur avoir donné des consignes précises concernant l'articulation, le rythme, l'accentuation et l'intonation. Lorsque l'apprenant présente son travail, il ne faut pas non plus le corriger pendant sa production, mais prendre des notes et lui signaler à la fin les problèmes perçus. Puisque ce texte a déjà été travaillé en groupe, les rectifications sont comprises rapidement; il peut donc repartir avec les observations et retravailler ce texte pour pouvoir le représenter ultérieurement.

Évidemment, pendant toute la période de cours, l'enseignant est là pour évaluer de façon permanente ce qui se passe dans sa classe. Lorsque les cours seront terminés, l'apprenant n'aura plus cette voix pour valider ou non sa production orale. C'est pour cela que, tout au long des cours, il faut s'assurer que les apprenants puissent prendre conscience de leurs propres difficultés et sachent les corriger eux-mêmes. Il faut qu'ils puissent, en sortant du cours, savoir s'auto-évaluer et s'auto-corriger. C'est pour cela que, lors des moments où l'enseignant laisse les apprenants prendre en charge la correction, il les aide à pouvoir le faire hors des cours. Ils doivent également savoir se faire aider par n'importe quel locuteur de la langue cible rencontré hors des cours. Ils doivent pouvoir repérer, dans une situation de communication réelle, le moment où il y a incompréhension et ne plus avoir peur de demander à l'interlocuteur de les aider à corriger ce qui doit l'être.

Quoi qu'il en soit, il faut que les apprenants comprennent d'entrée de jeu que, dans la classe, les erreurs sont les bienvenues, qu'ils ne doivent pas hésiter à faire beaucoup d'essais pour que les erreurs éventuelles soient perçues, par l'enseignant et par le groupe, et que les explications articulatoires et les corpus favorisant la correction puissent être donnés.

■ L'ÉVALUATION ET L'AUTO-ÉVALUATION

L'évaluation de la prononciation se mesure toujours selon deux paramètres fondamentaux en phonétique: l'articulation et la prosodie.

Il faut considérer le niveau de l'apprenant à l'oral. S'il est élémentaire, on travaillera ces paramètres sur des exercices ne dépassant pas 6 à 7 syllabes par groupe rythmique. Si son niveau est intermédiaire, on travaillera sur une moyenne de 7 à 12 syllabes par groupe rythmique. Lorsque l'apprenant atteint le niveau avancé, on peut travailler ces paramètres sur des groupes allant de 1 à 15 ou 20 ou plus (selon le sens, la rapidité du débit, l'agencement des mots, l'intention du locuteur, le niveau d'élocution).

L'évaluation en phonétique est très précise mais parfois elle ne donne pas une représentation globale de l'oral de l'apprenant. En effet, on n'évalue pas tout à la fois, ce qui veut dire qu'à un moment «x», un apprenant commence à résoudre le problème du [u] par exemple mais a toujours des difficultés liées à la prosodie.

Cependant, ces évaluations fines permettent à l'apprenant d'avoir une sorte de «photographie» de ses problèmes individuels, et ainsi l'aident à prendre en charge son apprentissage. Il sait quoi corriger et comment le faire; il doit continuer à essayer.

3

L'écrit

Introduction

L'approche communicative de l'enseignement d'une langue étrangère a mis l'accent sur l'aspect pragmatique de la production écrite. L'écrit n'est plus, comme dans les méthodologies traditionnelles, la norme souveraine du langage, ni, comme dans les méthodologies audio-visuelles, subordonné à l'oral. Écrire devient un acte de communication fonctionnel, un savoir et un savoir-faire spécifiques permettant à l'apprenant de s'exprimer et de communiquer au moyen d'un système de signes spécifiques, les signes graphiques.

Comme tout acte langagier, l'acte d'écrire s'inscrit dans une situation de communication particulière, met en œuvre des structures linguistiques, et réalise une intention de communication. L'aspect socio-culturel de la communication écrite mais aussi l'aspect individuel et affectif du scripteur sont pris en compte.

Si l'approche communicative répond à la question «écrire pour quoi faire?», la réponse à la question «comment faire pour écrire?» reste problématique. La compétence de production écrite demeure une compétence langagière délicate à enseigner et à faire acquérir. En effet, la communication écrite est soumise à des paramètres bien spécifiques que nous évoquons rapidement.

Les spécificités de l'écrit

■ L'ABSENCE D'UN FACE-À-FACE

La communication écrite se caractérise par l'absence d'un face-à-face entre le scripteur et le destinataire ; l'émetteur du message et le récepteur n'étant pas en contact direct, la communication est de fait différée. D'autre part, puisque le destinataire est absent, voire virtuel, l'émetteur d'un message écrit (le scripteur) ne peut pas contrôler l'effet de son message sur le destinataire.

Ce décalage dans le temps et cette absence dans l'espace impliquent des contraintes spécifiques à la production écrite :
– l'organisation rigoureuse des signes graphiques (écriture lisible, orthographe, ponctuation, typographie) pour la lisibilité et l'expressivité du texte ;
– la clarté du message (précision du vocabulaire, correction de la syntaxe, concision). Puisqu'il n'est pas possible de s'expliquer en direct, il est nécessaire de lever les ambiguïtés possibles du message en fournissant au lecteur des repères de sens (récurrence de mots ou de thèmes, redondances de constructions, connecteurs, anaphoriques) ;
– l'élaboration d'un discours en continu (phrases complexes, liens logiques, cohésion textuelle) car il n'y aura pas d'interruption.

Le texte écrit doit donc être un tout, lisible, clair, construit et achevé pour une meilleure réception possible.

■ LA SITUATION DU SCRIPTEUR

En contrepartie, le scripteur, n'étant pas en situation de dialogue, a le temps et la solitude pour lui, ce qui lui permet de reformuler son message. Il a donc la **maîtrise** de la situation et reste celui qui initie et construit un discours sans être interrompu. Cette stabilité de rôle lui permet de prendre du recul par rapport à son projet de texte, voire de modifier son intention de communication. En l'absence des réactions immédiates du récepteur, il a toute latitude pour faire ses choix lexicaux et syntaxiques. Ce recul possible vis-à-vis de son texte lui permet d'organiser, de modifier, de réviser son discours avant qu'il ne parvienne au destinataire (ce qui est impossible à l'oral).

L'ANGOISSE DE LA PAGE BLANCHE

Pourtant, la situation d'écriture demeure très «anxiogène» (l'angoisse de la page blanche!) car les apprenants ont généralement une représentation normative de l'écrit (il est difficile de bien écrire même dans sa langue maternelle) et des souvenirs d'apprentissage parfois traumatisants. Ainsi l'enseignant devra-t-il dédramatiser l'acte d'écrire en renforçant la motivation de l'apprenant.

LE TRANSFERT DE COMPÉTENCES

Il y aurait à l'écrit un transfert de compétences d'une langue à l'autre. Il semble, en effet, que les progrès en production écrite sont transférables d'une langue à l'autre: ainsi, si les apprenants améliorent leur orthographe en langue étrangère, ils progressent également en orthographe dans leur langue maternelle. Ceci constitue un facteur de motivation pour l'apprenant.

L'IMMATURITÉ DANS L'ÉCRITURE

La production écrite en langue étrangère induit une certaine immaturité dans l'écriture car les apprenants débutants en langue étrangère (bien qu'adultes) ont des stratégies d'apprentissage qui se rapprochent de celles des enfants en langue maternelle (production de textes courts, syntaxe juxtaposée simpliste). Ils perdent de vue le sens global de leur production en focalisant leur attention sur des détails orthographiques ou grammaticaux.

Il faut, donc, tenter de contrecarrer cette focalisation sur les formes de la langue écrite par une sensibilisation à la globalité du texte et, pour cette raison, il est indispensable d'exposer ces scripteurs à des textes riches et variés que l'on choisira, le plus souvent, un peu au-dessus de leur capacité moyenne de compréhension.

3. L'écrit

La compréhension écrite

■ QU'EST-CE QUE COMPRENDRE UN TEXTE EN LANGUE ÉTRANGÈRE ?

Pour produire des textes, il faut en avoir lus. Il ne s'agit pas de lecture/déchiffrage, puisque nous avons affaire à des apprenants adultes lisant déjà dans une langue voire dans plusieurs, mais de **la compréhension du sens d'un texte.**

En langue étrangère, les théoriciens de l'approche communicative ainsi que les cognitivistes se sont interrogés sur la manière dont le lecteur construit le sens d'un texte. Ils ont souligné trois aspects significatifs de cette activité langagière : la perception du texte, l'interprétation du texte, et les stratégies de lecture. Nous évoquons, brièvement, ces aspects pour en retenir les implications pédagogiques.

Les trois phases de la perception d'un texte

1. La première approche du texte se fait par l'œil. Ce premier contact met en jeu une mémoire sensorielle qui saisit des impressions visuelles sous forme d'images de mots ; elle retient ces photos de mots pendant peu de temps, environ un quart de seconde, puis effectue une première sélection des mots (dans le corpus d'informations données).
2. Cette sélection est acheminée ensuite vers la mémoire à court terme qui leur attribue une signification (elle peut traiter 7 éléments en 20 secondes).
3. Une fois les significations trouvées, ces éléments d'informations sont enfin transférés régulièrement dans la mémoire à long terme, sinon ils sont effacés. Ainsi, à la fin du texte, ce sont les éléments sélectionnés qui sont mémorisés et non l'intégralité du texte.

Ces trois niveaux de mémoire fonctionnent en interaction. En langue étrangère, c'est surtout la phase (b) qui peut poser problème.

En effet, la sélection de la mémoire à court terme se fait en fonction de chaque lecteur, de sa connaissance dans le domaine, de ses compétences linguistiques, de son intention et des conditions de lecture.

Or, selon les scientifiques, chez la plupart des individus, la capacité de la mémoire à court terme est limitée en quantité et dans le temps (7 éléments en moyenne pendant 20 secondes). Donc, si le lecteur débutant ou inexpérimenté passe trop de temps à identifier chaque mot, il s'ensuivra un encombrement de la mémoire à court terme, qui, débordée, ne parviendra pas à traiter toutes ces informations pour les acheminer vers la mémoire à long terme. Alors ces informations seront perdues, effacées, et le texte deviendra incompréhensible.

Remarques pédagogiques

Pour que la mémoire à court terme de l'apprenant ne soit pas saturée et donc bloquée, ce qui nuirait à la compréhension du texte, il faut habituer l'apprenant à ne pas s'arrêter sur chaque mot inconnu ou sur chaque structure grammaticale incomprise Il est nécessaire de faire pratiquer **une lecture globale en continu** de la phrase puis du texte. Autrement dit, pour aider un apprenant à comprendre un texte, il faut l'amener à accepter l'ambiguïté momentanée d'un mot (dont le sens pourra être éclairé plus tard au fil de la lecture par un autre mot connu ou par le contexte), lui apprendre à continuer la lecture sans se laisser décourager par la méconnaissance du vocabulaire ou de la syntaxe.

Par ailleurs, il arrive que l'apprenant, bien que connaissant chaque mot d'une phrase ou d'un texte, n'en saisisse pas le sens. Il s'agit alors d'un problème d'interprétation, autre aspect de la compétence de compréhension écrite.

L'interprétation d'un texte

La compréhension d'un texte met en jeu des **compétences linguistiques** certes, mais aussi des **compétences culturelles et référentielles.** Il est parfois difficile de comprendre un texte sans notions préalables du domaine traité (opacité des textes scientifiques par exemple), ou encore sans connaître les circonstances de production du texte. En langue étrangère, la méconnaissance du contexte culturel, sociologique, politique ou historique d'un texte constitue un handicap. L'apprenant n'a pas alors accès à l'implicite du texte.

Remarques pédagogiques

Cela signifie que l'enseignant doit porter une attention toute particulière au **choix des textes** qu'il propose aux apprenants en terme socioculturel et qu'il doit préparer l'apprenant à recevoir le texte par une présentation de la situation dans laquelle celui-ci a été émis.

Les stratégies de lecture

Les stratégies de lecture sont personnelles, dépendantes du niveau d'instruction et des habitudes culturelles d'un individu. Les chercheurs retiennent cependant trois grands modèles que nous évoquons rapidement.
• Le premier modèle est appelé modèle du «**bas vers le haut**» (ou processus sémasiologique, démarche ascendante de la forme vers le sens). Le lecteur part des formes graphiques, des plus petites unités (lettres, mots,

3. L'écrit

49

phrases) qu'il trie, classe et interprète. L'encodage de ces unités de base construit la signification du texte. Ceci est la démarche du lecteur en début d'apprentissage.

• Le second modèle est appelé modèle du «**haut vers le bas**» (ou processus onomasiologique, démarche descendante du sens vers la forme). Le lecteur s'attache d'abord au sens, c'est-à-dire aux notions, aux idées, véhiculées par le texte et fait des hypothèses sur la signification globale; hypothèses qu'il modifie petit à petit au cours de la lecture. C'est la démarche du lecteur plus expérimenté.

• Le troisième modèle est appelé modèle **interactif**. Il combine les deux autres démarches, c'est-à-dire que le lecteur a aussi bien recours aux petites unités formelles (syntaxe, lexique) du texte qu'à des connaissances plus générales (notions, concepts) extérieures au texte pour faire des hypothèses et comprendre le texte. Le lecteur utiliserait les deux démarches à tour de rôle, l'une compensant les lacunes de l'autre. C'est ce modèle qui prévaut actuellement.

Remarques pédagogiques

Ce modèle est intéressant pédagogiquement car c'est le plus «naturel», le plus comparable à ce que nous avons le sentiment de faire en langue maternelle. Si l'apprenant adulte sait lire dans sa langue maternelle, il possède déjà des stratégies de lecture. Il faut l'aider à transférer ses stratégies en langue étrangère. Il sera donc fructueux d'exercer l'apprenant à répondre à des questions de compréhension qui portent sur le sens global et la structure du texte, mais aussi sur des points de détails soit sémantiques soit formels.

■ COMMENT COMPRENDRE UN TEXTE EN LANGUE ÉTRANGÈRE?

Exposer les apprenants à des **textes authentiques** aussi variés que ceux que nous rencontrons dans la vie réelle est le meilleur moyen de les intéresser, de les faire progresser en compréhension et de leur faciliter l'accès à la culture de la langue cible. L'enseignant tentera de leur faire retrouver des stratégies de compréhension utilisées en langue maternelle. Pour aider l'apprenant, il faudra:

Donner un objectif de lecture

Proposer à l'apprenant de lire avec un projet de lecture. Il lira différemment le texte si l'objectif de la lecture est précisé car son attention se portera sur la tâche à accomplir. Ce projet de lecture peut être: s'informer (articles de journaux, petites annonces), apprendre à faire (recettes de cuisine), comprendre (enquêtes sociologiques, interviews de personnalités artistiques ou politiques), connaître la culture de la langue cible (textes littéraires) ou se distraire (jeux), comme dans la vie réelle.

Choisir les textes

Il s'agit de placer l'apprenant dans une situation de lecture en langue étrangère comparable à une situation de lecture en langue maternelle, où il lit selon ses goûts ou ses besoins. L'enseignant établira avec les apprenants une liste de textes à lire ensemble (types de textes et thèmes). L'apprenant associé au choix des textes sera plus motivé.

Déterminer le niveau des textes

Il appartiendra cependant à l'enseignant d'effectuer une sélection en fonction du niveau linguistique de son groupe. Il sélectionnera des textes un peu au-dessus du niveau d'expression des apprenants afin de les habituer à **déduire le sens** d'un texte en langue étrangère. C'est-à-dire exercer leur capacité d'**inférence** (processus naturel permettant de trouver le sens d'éléments inconnus grâce au contexte) comme ils le font dans leur langue maternelle (ils comprennent des textes qu'ils ne sauraient écrire, ils trouvent le sens d'un texte sans connaître tous les mots).

Établir une progression

Pour que l'effort ne soit pas trop grand, donc décourageant et par là même inefficace, l'enseignant établira une progression fondée sur le vocabulaire et la syntaxe mais aussi sur la longueur du texte afin de respecter les processus de mémorisation. Il n'est pas toujours évident de déterminer le degré de difficulté d'un texte, mais on peut contourner ces difficultés par des activités de compréhension faciles et adaptées au niveau des étudiants.

Privilégier les textes authentiques

Il est en revanche toujours pertinent de choisir un texte authentique puisqu'il s'inscrit dans une situation de production réelle. D'abord, le texte est écrit dans la langue que les natifs de la langue cible utilisent dans le type de situation évoquée, c'est donc une langue vraie. Ensuite, l'intention de l'auteur et les conditions de production du texte sont repérables, le texte devient plus facilement analysable et donc plus facilement imitable. Enfin, le texte contient des références culturelles et pragmatiques authentiques.

3. L'écrit

Prévoir une phase de pré-lecture

Il est préférable de prévoir une phase préparatoire à la lecture du texte, c'est-à-dire une présentation du texte. Cette étape de pré-lecture éveille l'attention de l'apprenant et lui facilite l'entrée dans le texte. Cela lui permet de mobiliser ses connaissances extralinguistiques, culturelles ou pragmatiques. L'enseignant peut, par exemple: ⟩
– pratiquer un «remue-méninges» sur le domaine de références du texte;
– poser des questions et/ou présenter des informations sur le texte (biographie de l'auteur, éléments socioculturels, contexte politique ou historique etc.);
– faire repérer le type de texte (article, lettre personnelle ou administrative, extrait littéraire, publicité, etc.) afin d'orienter la lecture en identifiant les différents paramètres de la situation de communication (auteur, destinataire, niveau de langue) et en observant la présentation du texte (photos, illustrations, titres, sous-titres, typographie, etc.);
– confronter lors de cette étape les habitudes culturelles différentes de présentation des textes, de typographie (rôle de la ponctuation, des majuscules et des minuscules).

Lire et analyser le texte

L'enseignant lit lui-même le plus souvent possible le texte pour que les apprenants (surtout les débutants) puissent se concentrer sur le sens. Il importe surtout que l'apprenant, lui, fasse une lecture silencieuse du texte. En effet, la lecture à haute voix, ou lecture oralisée, met en jeu des compétences particulières liées à la prononciation (passage de la graphie au son, restitution des groupes de souffle, des schémas intonatifs, interprétation de la ponctuation par exemple) et suppose une compréhension quasi simultanée. Aussi est-elle plus souvent un frein à la compréhension qu'une aide.

Les questions posées sur le texte doivent amener l'apprenant à le parcourir plusieurs fois pour effectuer:
– tantôt des repérages d'unités significatives, soit lexicales (par exemple classer les adjectifs positifs et négatifs dans les textes descriptifs), ou syntaxiques (recherche des articulateurs dans les textes argumentatifs), ou encore sémantiques (recherche des mots-clés);
– tantôt des repérages d'éléments plus structurels pour trouver l'architecture du texte. Par exemple, dans les textes narratifs, il s'agira de retrouver les grandes articulations (exposition, intrigue, dénouement) ou bien la chronologie des évènements, ou encore le rôle des lieux.

Le choix de ces activités se fera en fonction du type de textes (quelques indices suffisent pour trouver les informations contenues dans une annonce immobilière, par exemple, tandis que la recherche des idées générales est nécessaire pour comprendre un article).

Évaluer la compréhension

Même si l'enseignant apporte son aide pendant les recherches de l'apprenant, il attendra la fin des activités pour évaluer finalement ce qui a été compris. En effet, il faut éviter d'expliquer aux apprenants les mots ou éléments inconnus en cours de lecture car cela les empêche de faire appel à leur capacité d'inférence.

Il est nécessaire de les laisser chercher et déduire le sens eux-mêmes, autant que faire se peut. En fin de parcours, l'enseignant infirmera ou confirmera les résultats trouvés par l'apprenant en faisant alors référence au texte.

Il est préférable de pratiquer l'évaluation en groupe sous forme de discussions à partir de la confrontation des réponses aux questions posées. C'est alors que l'on pourra demander à l'apprenant un jugement critique si le texte est compris car l'évaluation de la compréhension est plus fiable et plus riche une fois les tâches terminées.

La compréhension de textes divers, dont les règles de fonctionnement auront été mises à jour, permet le réemploi de ces règles et débouche – si cela est jugé un bon objectif pour le groupe d'apprenants – sur la production personnelle écrite de textes, puisque lecture et écriture sont fortement liées.

L'expression écrite

■ QU'EST-CE QU'ÉCRIRE EN LANGUE ÉTRANGÈRE ?

La compétence de production écrite est dépendante des textes lus et compris antérieurement. L'exposition à une typologie variée de textes (narratifs, descriptifs, argumentatifs, prescriptifs) devrait amener l'apprenant à produire lui-même des textes divers.

Pourtant, tous les lecteurs ne sont pas des écrivains. Ainsi, nous savons que les processus mentaux mis en œuvre dans la production écrite (en langue maternelle comme en langue étrangère) sont extrêmement complexes. Cognitivistes et psycholinguistes ont proposé plusieurs modèles des opérations mentales qui présideraient à la production de textes. Ces modèles assez différents les uns des autres présentent toutefois quelques points de consensus. Nous évoquons ceux qui ont des implications pédagogiques.

Les trois phases

L'acte d'écrire se décomposerait en trois phases : une phase d'élaboration, une phase de mise en texte, et une phase de révision. Ces trois phases sont plus ou moins développées, plus ou moins simultanées et interactives en fonction de la maturité, du niveau de langue, de la culture et de la personnalité du scripteur. Il sera donc nécessaire de faire pratiquer des exercices mettant en jeu ces trois phases y compris la dernière, la phase de révision trop souvent négligée dans la classe.

Les deux niveaux d'opérations mentales

Ces trois phases mettent en œuvre des opérations mentales qui comme pour la compréhension écrite se situent à deux niveaux : les opérations de « haut niveau » et les opérations de « bas niveau ». Les opérations de « haut niveau » concernent la conceptualisation, la planification, l'organisation linéaire et la cohérence sémantique d'un texte. Il s'agit de la compétence discursive. Les opérations de « bas niveau » concernent la maîtrise de l'orthographe et de la syntaxe. Il s'agit de la compétence linguistique.

Remarques pédagogiques

La difficulté pour un apprenant étranger réside dans le fait que le scripteur (bien plus que le locuteur qui peut s'aider des mimiques ou des réactions de son interlocuteur) doit maîtriser simultanément ces différentes opérations. Or, en langue étrangère, la non-maîtrise de la compétence linguistique empêche souvent l'apprenant de se concentrer sur les opérations plus complexes. C'est pourquoi, il est essentiel de lui faire acquérir une compétence orthographique, morphologique et lexicale.

La mémoire à long terme

Les processus de production écrite font intervenir la mémoire à long terme de l'apprenant qui, n'étant pas dans une situation de face-à-face, a le temps et la tranquillité nécessaires pour aller puiser dans cette mémoire/réserve ses connaissances linguistiques antérieures. Il ne faudra donc pas hésiter à faire appel aux capacités d'analyse et d'abstraction de l'apprenant pour l'aider à réaliser la tâche écrite qui lui est assignée. L'utilisation d'un métalangage explicatif se justifiera : le fonctionnement des règles de construction des textes écrits doit être explicité, pour en faciliter la mémorisation.

Le contexte de production

Les approches communicatives ont mis l'accent sur le contexte de production d'un texte, c'est-à-dire sur l'environnement socioculturel de l'acte d'écriture. Les cognitivistes, eux, insistent plutôt sur le texte comme générateur de lui-même car, de corrections en révisions, il se modifie sans cesse, devenant alors son propre contexte.

La prise en compte du contexte de production du texte (dans les deux sens évoqués) suppose que les exercices proposés aux apprenants s'inscrivent dans une simulation (la plus plausible possible) de la réalité sociale et culturelle (on écrit pour faire quelque chose, même dans la classe), et servent à communiquer un message cohérent et compréhensible, structuré pour être compris.

■ APPRENDRE À ÉCRIRE EN LANGUE ÉTRANGÈRE

Nous distinguons deux types de savoir-faire écrits à enseigner :
– savoir orthographier (assurer le passage du code oral au code écrit, activité qui implique la connaissance du système graphique du français) ;
– savoir rédiger (construire une phrase écrite, enchaîner des paragraphes, produire un texte cohérent).

Il faudra donc aider l'apprenant à maîtriser ces deux niveaux de compétences (discours et langue), en travaillant chaque niveau avec précision, mais en les réunissant toujours dans des activités de productions d'écrits. Pour ce faire, il sera nécessaire de suivre les conseils suivants.

Donner des modèles

Ne pas demander aux apprenants d'écrire un texte à partir de rien (même un petit récit personnel) s'ils n'ont pas été confrontés auparavant à des récits écrits dans la langue cible, mais toujours s'appuyer sur une analyse de texte préalable. Le texte analysé « déconstruit » fonctionnera alors comme un modèle (on évite d'ailleurs ainsi l'angoisse de la page blanche). On utilisera les manières d'écrire mises à jour comme une matrice pour créer un nouveau texte.

Par exemple, avec des débutants, il est possible d'utiliser des poèmes simples à phrases récurrentes, ou de choisir des extraits de romans décrivant en peu de lignes un personnage, ou un paysage, ou selon le niveau, de courtes critiques de films dans les journaux, ou des faits divers.

3. L'écrit

55

L'essentiel est de comparer des «échantillons» d'écrits de même type, d'en dégager la structure commune pour pouvoir l'imiter.

Faire écrire très tôt

Il n'est pas nécessaire d'attendre que les apprenants maîtrisent tout le système grammatical et orthographique pour leur demander de produire des textes. Les diverses compétences sont en interaction; on sait qu'écrire peut aider à lire et vice versa.

Dès le début de l'apprentissage, il faut faire inclure la lettre dans un mot, le mot dans une phrase, la phrase dans un texte et le texte dans un message. On inculque alors aux apprenants le sens de la chaîne écrite dans sa spatialité et dans son sens.

Établir une progression

La progression se fondera d'abord sur la longueur de l'écrit demandé et sur le vocabulaire (c'est le lexique qui porte le sens en début d'apprentissage).

1. Faire produire des textes courts (petits mots pour informer ou s'excuser; réponse à une invitation, description de sa chambre, etc.).

2. Puis demander des textes plus longs (récits chronologiques, évocation de souvenirs) qui mettront en jeu des structures narratives.

3. Ensuite, faire rédiger des critiques pour l'argumentation (emploi des connecteurs logiques).

Établir une liste des types d'écrits

Il faut établir avec les apprenants une liste des types d'écrits qui leur sont ou leur seront utiles dans le pays étranger ou dans leur pays et qu'ils souhaitent maîtriser (écrits fonctionnels comme la lettre de motivation, de demande de renseignement, de résiliation de bail, etc.). L'apprenant sera plus motivé en rédigeant, à partir des modèles authentiques, des écrits qui ont du sens pour lui: sens social fonctionnel (écrits utilitaires) ou affectif relationnel (relations amicales, amoureuses).

Utiliser les écrits littéraires

Utiliser les écrits littéraires pour imiter leurs structures narratives et descriptives, mais aussi pour faire pratiquer le plaisir de l'écrit non-fonctionnel, l'écrit intérieur et créatif, l'écrit pour soi. L'on fera des exercices d'écriture type «à la manière de…», ce qui intéresse et motive les apprenants. L'apprenant sait que devenir un écrivain ne s'apprend pas (même en langue maternelle!), mais il est gratifiant de produire un beau texte surtout en langue étrangère.

L'orthographe

L'orthographe est à l'écrit ce que la phonétique est à l'oral, à savoir un code qu'il faut maîtriser si l'on veut bien écrire une langue. Les apprenants ont généralement une représentation négative de l'orthographe française, qu'ils considèrent comme difficile. Qu'en est-il réellement?

■ HISTOIRE DE L'ORTHOGRAPHE

L'écriture d'une langue (la transcription de l'oral) est soumise à un ensemble de règles qui en conditionnent l'usage et qui constituent un code. Le code orthographique français est le résultat d'une histoire bien particulière : lorsqu'il a fallu transcrire la nouvelle langue que constituait le français, il n'y a pas eu de création d'un alphabet spécifique. L'alphabet latin, ne pouvant servir à transcrire des sons nouveaux, a été modifié par des ajouts, à différentes époques, de lettres nouvelles ou de signes diacritiques pour noter ces sons nouveaux. L'on a créé d'autre part des marques grammaticales et sémantiques nouvelles.

Par ailleurs, historiquement, la cohabitation entre le latin et le français a été longue et tardive ; plus le français se développait à l'oral, plus l'écrit s'attachait à l'origine latine : «Le latin et le français ont vécu durant de nombreux siècles (et dans certains milieux comme l'Église et l'Université, jusqu'à une époque récente) en état de véritable symbiose, ils étaient sentis comme une seule et même langue : on lisait le latin à la française, on écrivait le français à la latine... Le français n'a jamais rompu avec le système de l'ancienne langue, tout en connaissant une évolution originale et très rapide sous tous ses aspects, phonétique, morphosyntaxique, lexical.»[1]

Dès l'origine s'installe ainsi un hiatus entre la langue orale et sa transcription[2]. Aussi, l'orthographe française a-t-elle longtemps été considérée comme une somme d'éléments disparates, avec beaucoup d'exceptions, difficile à décrire et donc à apprendre. Cependant, grâce aux travaux de linguistes comme Gak, Thimonnier, et de l'équipe du CNRS HESO, il est reconnu maintenant que l'orthographe française est un

3. L'écrit

---

1. CATACH N., *La Ponctuation*, PUF (Que sais-je?), 1996.
2. Voir, HUCHON M., *Histoire de la langue française*, Le livre de poche, 2002.

véritable système graphique. La notion d'arbitraire tend à disparaître, les règles de fonctionnement sont intégrées dans un système dont la rationalité a été mise à jour. Depuis 1990, il existe une réforme qui va dans ce sens.

◼ LA THÉORIE

Nina Catach définit ainsi l'orthographe : «C'est la manière d'écrire les sons ou les mots d'une langue, en conformité d'une part avec le système de transcription graphique propre à cette langue, d'autre part suivant certains rapports établis avec les autres sous-systèmes de langues (morphologie, syntaxe, lexique). »[3]

Cette définition constitue un programme d'enseignement. Il faut envisager l'enseignement de l'orthographe française sous ce triple aspect :
– phonologique, c'est-à-dire la transcription des sons ;
– grammatical, à savoir les transformations graphiques liées aux règles syntaxiques ;
– lexical, où l'orthographe d'un mot se justifie le plus souvent par l'étymologie ou par le sens.

Dans la langue française, la correspondance entre le langage oral et le langage écrit se fait au moyen de l'écriture alphabétique. Il existe donc deux types de signes : le phonème (signe oral) et le graphème (signe écrit).

Le graphème est la plus petite unité distinctive et significative de la chaîne écrite. Il peut être constitué par une lettre (avec ou sans accent $[\varepsilon, \acute{e}]$; avec ou sans signe auxiliaire $[\int, \c{c}]$), ou un groupe de lettres [des digrammes comme *ai*, des trigrammes comme *eau*]*).*

Ces graphèmes peuvent donc avoir une triple valeur : phonétique, grammaticale, lexicale. Il est essentiel de familiariser les apprenants à cette triple fonction.

La fonction phonétique

La première fonction, transcrire un son, est la plus importante ; la plupart des graphèmes français ont cette fonction. Idéalement, à chaque phonème devrait correspondre un graphème, mais nous en sommes loin, pour les raisons historiques évoquées précédemment. Cependant cette correspondance entre l'oral et l'écrit existe et il est nécessaire d'en souligner

---

3. CATACH N., *L'orthographe française : traité théorique et pratique*, Nathan, 1986 (page 26).

l'importance auprès des apprenants afin qu'ils relativisent la «difficulté» de l'orthographe française.

La fonction grammaticale

La deuxième fonction, grammaticale, concerne les marques morphologiques et syntaxiques comme, par exemple, les terminaisons verbales (ex : verbe à l'imparfait [ils aimaient, ils avaient froid, ils partaient] – «aient», soit 5 lettres pour un seul son), les marques du genre (grand/grande) et du nombre (ex : les femmes, les hommes, les arbres, les villes – le «s» du pluriel qui ne s'entend pas sauf en cas de liaison), etc. Dans la mesure où ces graphèmes sont reliés à des règles grammaticales, ils sont plus aisément mémorisables. Il faut donc insister sur leur aspect systématique et accoutumer les apprenants à les repérer.

La fonction lexicale

Cette troisième fonction concerne les lettres étymologiques ou historiques marquant l'appartenance à des familles de mots différentes (distinction des homophones «pain/pin», «chant/champ», *etc.*).

L'image et l'emploi du mot

Si l'orthographe du mot n'est explicable ni par le son ni par des règles syntaxiques, il s'agit alors de reconnaître le sens du mot à travers son image («conte» et «compte») et son emploi sémantique. C'est l'aspect idéographique de l'orthographe française et c'est là peut-être sa plus grande difficulté que l'on peut pallier en donnant toujours les mots nouveaux dans un contexte de sens qui aide à les mémoriser (visuellement et sémantiquement). Dans ce cas, on fera appel à la mémoire de l'apprenant. Il est souhaitable alors de commencer par lui apprendre à orthographier le lexique courant, utile et utilisable dans des situations d'écriture ordinaires.

■ LA PÉDAGOGIE

La pluralité du système graphique français induit des implications pédagogiques :

Observer l'écrit

Les exercices d'orthographe feront observer ce qui est écrit. On partira de ce que voit l'apprenant et non de ce qu'il entend. On procédera, en outre, différemment en fonction de l'objectif choisi. Si l'objectif est phonétique, on partira de ce qui est entendu. S'il est «graphique», en correction de l'erreur par exemple, on partira du rapport entre phonie/graphie et on fera observer les règles du système français.

Autrement dit, il est nécessaire d'aider les apprenants à se servir de leurs yeux comme, en phonétique, ils apprennent à se servir de leurs oreilles. Il faut les exercer à regarder comme, en phonétique, on leur apprend à écouter.

«Notre orthographe est faite pour l'œil», écrit Nina Catach[4]. Il est indispensable de développer le rôle de l'œil, non seulement pour favoriser la mémoire visuelle de l'apprenant mais surtout pour lui apprendre à observer graphiquement un mot. Le repérage visuel est fondamental en orthographe car il habitue les apprenants à considérer le mot écrit comme un tout où chaque élément (une lettre, une apostrophe, un accent) est significatif («a» n'est pas «à»; «il chante» n'est pas «ils chantent»).

Il s'agit d'abord d'expliciter les graphèmes (cf. les 3 fonctions pp. 58-59), c'est-à-dire de pratiquer une véritable étude graphique des mots, à savoir s'assurer que l'apprenant a compris le rôle sémantique («sel/selle»), morphologique («aime/aimes») ou phonique («poison/poisson») des lettres dans le mot, pour ensuite considérer le rapport avec l'oral.

Insister sur le sens

Les graphèmes sont inclus dans un mot, lui-même inclus dans une phrase, c'est-à-dire dans un contexte sémantique.

Dans les phrases «le compte est bon/le comte est bon» (homophones), le scripteur choisira l'une des deux orthographes selon la signification qu'il souhaite donner à la phrase et non selon la prononciation. C'est le graphème «p» qui sera porteur du sens et qui permettra de lever l'ambiguïté orale de ce mot.

On fera comparer aux apprenants des phrases contenant des homophones, pour les sensibiliser à cette fonction et, petit à petit, chaque apprenant écrira le mot selon sa signification surtout si le contexte l'y aide.

Analyser la chaîne syntaxique des mots

Les mots dans la phrase sont liés dans un rapport de sens mais aussi dans une relation grammaticale. Cette chaîne syntaxique (sujet/verbe, nom/adjectif, etc.) est marquée par des graphèmes morphologiques souvent sans relation avec la prononciation.

Dans les phrases «les voiles bleues/les voiles bleus», la lettre «e» de l'adjectif féminin «bleues» induit le sens du mot «voile» mais aussi

---

4. CATACH N., *La Ponctuation*, PUF (Que sais-je?), 1996.

indique la catégorie grammaticale de «bleu», c'est-à-dire son rôle d'adjectif notant une couleur. L'apprenant devra connaître les règles syntaxiques de fonctionnement de cette chaîne écrite pour pouvoir orthographier correctement les différentes catégories de mots (ici le «e» du féminin).

Lorsqu'il écrit, l'apprenant doit en être conscient. On lui fera ainsi relever les non-correspondances graphiques entre l'écrit et l'oral, en les justifiant et en les classant toujours en référence aux règles grammaticales propres au code écrit.

Il est très important d'amener les apprenants à considérer les signes graphiques comme des éléments qui fonctionnent dans un ensemble, dans une chaîne constituée par une phrase et par un texte.

Faire des exercices précis

Il semble plus rentable pour l'apprentissage de pratiquer alternativement des exercices courts qui font travailler une seule fonction à la fois:
– tantôt la fonction grammaticale (comparer les formes verbales de la 6e personne par exemple, afin qu'une forme graphique («-ent» dans ce cas) soit associée à plus ou moins long terme et de manière réflexive à une notion grammaticale (ici le pluriel des verbes). Ceci pour ancrer dans la mémoire de l'apprenant le concept de morphologie sans relation avec le son, l'apprenant acquerra ainsi un réflexe d'écriture;
– tantôt la fonction lexicale (jeux d'hypothèses avec des homophones par exemple) afin que l'apprenant associe l'image du mot à une signification comme il le ferait pour un idéogramme;
– tantôt la fonction phonique. On peut par exemple leur faire chercher eux-mêmes des mots où la correspondance écrit/oral fonctionne bien («papa» = quatre graphèmes et quatre phonèmes).

Les trois fonctions se retrouveront ensuite dans des productions de textes ou dans des mini-dictées pour vérification.

Établir une progression

La hiérarchisation des trois fonctions des graphèmes permet à l'enseignant d'établir une progression de l'apprentissage de l'orthographe et de savoir sur quelle fonction il vaut mieux insister:
– partir de la fonction grammaticale (elle est mémorisable et le nombre de règles n'est pas infini) pour aller vers la fonction lexicale (plus complexe étant donné la variabilité des sens attachée à un seul mot);
– faire noter la relation graphie/phonie, pour en déduire le fonctionnement.

Faire écrire des textes

Favoriser une production abondante et libre de textes variés pour d'une part favoriser la mémoire gestuelle de l'apprenant, d'autre part l'accoutumer à la disposition spatiale des mots dans un texte (ponctuation, blanc, séparation) et surtout l'aider à synthétiser les trois fonctions. Ces textes seront produits en situations d'écriture simulées mais motivantes. Nous savons que c'est la pratique régulière de production de textes personnels qui est efficace pour la mémorisation.

L'enseignement de l'orthographe ainsi conçu devrait permettre aux apprenants d'éviter les erreurs et donc de les mémoriser. Cette stratégie d'évitement de l'erreur nous semble la plus rentable.

L'évaluation

▇ ÉVALUATION ET TRAITEMENT DE L'ERREUR

Nous savons qu'il existe trois types d'évaluation qui correspondent à trois moments de l'apprentissage :
– **l'évaluation initiale** (qui se fait avant la formation proposée à l'apprenant – test de «niveau» de langue en fonction des acquis oraux et écrits [cf. Référentiel européen]);
– **l'évaluation en cours de formation** (évaluation formative);
– **l'évaluation finale** (ou sommative).

Nous nous intéressons ici à l'évaluation en cours de formation comme faisant partie intégrante de l'apprentissage et, à ce titre, exploitable à la fois par l'enseignant et par l'apprenant pour éclaircir des aspects encore flous et progresser dans l'apprentissage. Nous tenons à insister sur le fait que ce type d'évaluation ne devrait pas représenter un moment exceptionnel dans la formation, mais bien un moment intégré au parcours d'apprentissage. À ce propos, le traitement de l'erreur est un point crucial.

▪ COMPRÉHENSION ÉCRITE

L'évaluation de la compréhension écrite est relativement aisée, si l'on garde à l'esprit quelques principes fondamentaux.

Le support

On préférera toujours le document authentique car il constitue un espace réel de partage. En effet, il fait partie de la vie quotidienne des locuteurs natifs et donc il favorise chez l'apprenant une compréhension active pour vivre dans et avec cette communauté de vie nouvelle pour lui. Avec la lecture d'un document authentique, l'apprenant développe une autonomie dans sa pratique de lecteur dans la langue cible. Ce type de document lui permet, quand il «planche», de se mettre en situation réelle de communication. Il n'est plus alors seulement un étudiant qui «fait ses devoirs», mais bien un individu qui lit un texte pour le comprendre. Le document authentique n'a pas de niveau en soi et il revient à l'enseignant d'en adapter la compréhension guidée en fonction du niveau des apprenants.

L'objectif visé

Il est essentiel de définir préalablement l'objectif visé dans l'évaluation. Ceci guide le choix et la hiérarchisation des questions demandées pour tester la compréhension du document choisi.

La consigne ou les questions de compréhension

Elles apparaîtront toujours avant le texte. On sait en effet que tout lecteur lit avec un objectif et qu'il développe dans ce but des stratégies de lecture. Laissons donc aux apprenants ce droit à une lecture responsable et réfléchie, et la possibilité de développer leurs propres stratégies. Lors de la correction, d'ailleurs, le professeur fait émerger ces stratégies, différentes selon les apprenants, en les questionnant (repérage des mots-clés, des articulateurs du texte…). Cet échange peut permettre à des apprenants qui n'auraient pas bien compris un passage d'accéder à la compréhension grâce à l'une ou l'autre des stratégies qui leur correspond. La hiérarchisation des questions et consignes répond à un choix logique par rapport au document: ordre chronologique. Une pratique fort utile pour vérifier la lisibilité des consignes est de les faire lire à des collègues.

La durée prévue

Bien veiller à ce que le temps prévu pour l'évaluation permette aux apprenants de répondre aux questions.

■ EXPRESSION ÉCRITE

L'évaluation de l'expression écrite est plus délicate car elle comporte des enjeux autres que linguistiques : personnels, sociaux… Il convient donc d'apprendre à apprendre autrement ou de partager une nouvelle manière d'apprendre où l'erreur est constitutive à 100% de la formation à la langue cible.

La consigne

Elle délimite le sujet, elle doit donc être claire et précise, et poser des contraintes, garde-fous qui évitent à l'apprenant de s'égarer et qui permettent à l'enseignant de construire, puis de mener sa correction.

En fonction du niveau des apprenants, la longueur du document, le lexique, le type de procédés discursifs visés, doivent tenir compte des contraintes qui cadrent la production personnelle de l'apprenant pour ouvrir sur une correction «efficace», c'est-à-dire respectueuse de ce qui est «acquis» et de ce qui est à revoir ou à retravailler pour une meilleure mémorisation (des règles grammaticales, du lexique ou des procédés énonciatifs propres à la langue écrite).

La grille d'évaluation

Lors de la préparation de l'évaluation, concevoir une grille de critères d'évaluation et la communiquer aux apprenants. D'une part, elle permet à l'enseignant de mieux construire son évaluation, d'autre part elle est un contrat clair qui unit enseignant et apprenant(s) et sur la base duquel se fait la correction.

■ LA CORRECTION ET LE TRAITEMENT DE L'ERREUR

Productions écrites guidées

Souligner les erreurs que l'apprenant devrait à ce moment de l'apprentissage pouvoir repérer et corriger de lui-même, et corriger celles qui sont encore trop complexes pour lui, en expliquant toutefois au bas de la page par des exemples illustrant la règle à acquérir. Cela individualise la correction et permet à l'apprenant d'avancer vers des domaines encore inconnus, découverte en solitaire, sentiment d'être le seul à avoir découvert cela, bonheur, émulation…

Pour les erreurs «corrigeables», dresser un corpus d'erreurs et le distribuer aux apprenants. Par petits groupes, ils tentent de les corriger en justifiant leurs corrections. Ces moments d'échange entre apprenants sont riches de découvertes et leur donnent la possibilité de s'interroger sur la langue et son système. Apport mutuel. Ensuite, mise en commun à l'oral, commentaires et explications au tableau.

Dictées

Pour la correction de dictées, les apprenants se regroupent par trois ou quatre, échangent leurs textes et, ensemble, font des remarques, discutent de l'erreur possible. Ce moment est important car il permet de visualiser l'erreur, de réfléchir et donc de mieux mémoriser l'usage de la langue écrite.

L'apprenant, voyant que les autres commettent aussi des erreurs, même si elles sont d'une autre nature que les siennes, relativise les difficultés, analyse les raisons de ces erreurs et par ce jeu interactif fixe, peu à peu, avec intelligence les règles du système linguistique nouveau en comparaison de celui qu'il connaît de sa langue maternelle. Après avoir corrigé par petits groupes, on passe à la mise en commun. Un étudiant d'un groupe écrit au tableau le début de la dictée et ainsi de suite, chaque groupe écrit au tableau. Après chaque passage écrit, l'enseignant demande aux autres ce qu'ils en pensent. Ainsi, par ce jeu interactif des uns et des autres, des forts et des plus faibles, se construit une connaissance linguistique partagée de la langue. La formulation par l'apprenant de la correction est la garantie pour l'enseignant que les règles linguistiques sont fixées et mémorisées puisqu'il est capable d'en parler et de l'expliquer à son tour à un camarade de classe. Ainsi, par tâtonnements progressifs, échanges avec les autres, l'apprenant devient lui-même propriétaire de son savoir. En demandant toujours de justifier la correction, l'évaluation devient un moment fort de l'apprentissage et incite l'apprenant à avoir une lecture active, auto-évaluatrice de ses textes.

■ CONCLUSION

L'évaluation ainsi construite – en plaçant l'apprenant au cœur de son apprentissage – est la seule manière de respecter les processus d'apprentissage : moment formateur non seulement pour l'apprenant mais aussi pour l'enseignant qui – grâce à ces manières de faire – apprend à se taire pour – tout en restant la référence absolue de sa classe – donner à celui qui apprend la place la plus active possible.

3. L'écrit

4

Les fiches pratiques

1. Trouvez le bon mot!

Niveau: A1-A2.

Durée: 1 heure.

Support: *Paris*, chanson de Souad Massi et Marc Lavoine. Paroles: Marc Lavoine. Musique: Fabrice Aboulker. © by BMG Music Publishing France. © by les Amours du Dimanche.

Objectif: Révision des voyelles, en faisant la démarche «phonie, graphie, articulation».

Matériel: Un tableau, un lecteur de CD/cassettes, des photocopies du texte lacunaire de la chanson et du texte complet.

Salle: Chaises et tables mobiles pour regroupement.

■ DÉROULEMENT DE L'ACTIVITÉ

1. Introduction

Expliquer aux étudiants qu'il s'agit d'une chanson, et distribuer le texte lacunaire.

Paris

Je marche dans tes ...... [y]
Qui me marchent sur les ...... [je]
Je bois dans tes ...... [e]
Je traîne dans tes ...... [o]
Tes trottoirs m'aiment un peu ...... [o]
Je rêve dans tes ...... [o]
Je m'assois sur tes ...... [ã]
Je regarde tes ...... [ã]
Je trinque à la santé de tes ...... [ã]
Je laisse couler ta ...... [ɛn]
Sous tes ponts ta ...... [ɛn]
Toujours après la peine.

Je pleure dans tes ...... [i]
Quand tu brilles sous la ...... [ɥi]
Ce que t'es belle en pleine ...... [ɥi]
Je pisse dans tes ...... [o]
C'est de la faute à ...... [o]
Et je picole en argot.
Je dors dans tes ...... [ɛl]
J'adore ta Tour ...... [ɛl]
Au moins elle, elle est ...... [ɛl]
Quand je te quitte un peu ...... [wɛ̃]
Tu ressembles au ...... [wɛ̃]
Ça me fait un mal de chien.

Paris Paris combien/Paris tout ce que tu veux
Boulevard des bouleversés/Paris tu m'as renversé
Paris tu m'as laissé
Paris Paris combien/Paris tout ce que tu veux
Paris Paris tenu/Paris Paris perdu
Paris tu m'as laissé/Sur ton pavé

Je me réveille dans tes ...... [a]
Sur tes quais y a de la ...... [wa]
Et des loups dans tes ...... [wa]
Je me glisse dans tes ...... [e]
Je me perds dans ton ...... [je]
Je m'y retrouverai ...... [ɛ]
Je nage au fil de tes ...... [aʀ]
Et mon regard ...... [aʀ]
Je vois passer des cafards sur tes ...... [aʀ]
Je m'accroche aux ...... [ɛʀ]
Tes pigeons manquent pas ...... [ɛʀ]
Et moi de quoi j'ai ...... [ɛʀ]

Paris Paris combien
Etc.

Chaque symbole phonétique représente la dernière syllabe du mot manquant. Les étudiants feront des hypothèses et essaieront de trouver un mot dont la dernière syllabe correspond au son demandé.

Revoir avec les apprenants toutes les voyelles (orales et nasales). Pour ce faire, utiliser la technique expliquée sur la fiche page 100. Il faut également leur signaler qu'ils doivent essayer leurs mots à haute voix. Ces essais rempliront la classe d'un doux brouhaha ! Ce petit bruit de fond aura pour fonction d'isoler chaque groupe et d'encourager les recherches de chacun sans avoir peur de se tromper devant les autres.

2. Recherche des mots (20 minutes)

Les étudiants se mettent par groupes de deux ou trois et commencent à chercher. Faire le tour des groupes, corriger des mots déformés – toujours selon la technique utilisée dans le mime, c'est-à-dire en faisant des gestes que les étudiants connaissent déjà.

3. Présentation du travail

Chaque groupe présente à haute voix sa version. L'exigence ici sera de vérifier si les mots trouvés correspondent bien graphiquement à la prononciation proposée ; une autre exigence sera la fluidité, la maîtrise des enchaînements et de l'articulation. Il y aura autant de versions que de groupes. Cette phase met en évidence l'astuce et la créativité des apprenants.

4. Réécoute et correction

Ensuite, les étudiants écoutent attentivement la chanson une fois, voire deux s'ils le désirent, et corrigent leur version individuellement. Puis, ils vérifient deux à deux leur travail. Pendant cette phase de l'activité, faire le tour de tous les groupes, répondre aux multiples questions, corriger l'orthographe, expliquer le sens des mots, etc.

5. Lecture du texte

Lorsque le tour est fait, distribuer la version complète du texte et, cette fois, demander aux apprenants de relire la chanson à haute voix.

LE TEXTE COMPLET DE LA CHANSON

Paris

Je marche dans tes rues
Qui me marchent sur les pieds.
Je bois dans tes cafés,
Je traîne dans tes métros,
Tes trottoirs m'aiment un peu trop.
Je rêve dans tes bistros,
Je m'assois sur tes bancs,
Je regarde tes monuments,
Je trinque à la santé de tes amants,
Je laisse couler ta Seine

Sous tes ponts ta rengaine,
Toujours après la peine

Je pleure dans tes taxis
Quand tu brilles sous la pluie.
Ce que t'es belle en pleine nuit.
Je pisse dans tes caniveaux,
C'est de la faute à Hugo,
Et je picole en argot.
Je dors dans tes hôtels.
J'adore ta Tour Eiffel,
Au moins elle, elle est fidèle.
Quand je te quitte un peu loin,
Tu ressembles au chagrin,
Ça me fait un mal de chien.

Paris Paris combien,
Paris tout ce que tu veux,
Boulevard des bouleversés,
Paris tu m'as renversé,
Paris tu m'as laissé.

Paris Paris combien,
Paris tout ce que tu veux,
Paris Paris tenu,
Paris Paris perdu,
Paris tu m'as laissé
Sur ton pavé.

Je me réveille dans tes bras
Sur tes quais y a de la joie
Et des loups dans tes bois
Je me glisse dans tes cinés
Je me perds dans ton quartier
Je m'y retrouverai jamais
Je nage au fil de tes gares
Et mon regard s'égare
Je vois passer des cafards sur tes bars
Je m'accroche aux réverbères
Tes pigeons manquent pas d'air
Et moi de quoi j'ai l'air
Paris Paris combien
Etc.

Chacun doit lire une ligne ; la difficulté étant d'enchaîner d'un étudiant à l'autre en respectant le rythme, l'intonation et, bien sûr, l'articulation sans s'arrêter, pour donner une impression de lecture poétique. Cette technique oblige chacun à une écoute active et permet aux élèves de réviser la correspondance graphie/phonie en cherchant eux-mêmes selon leur connaissance.

6. Pour aller plus loin...

Prévoir un peu de temps pour élargir cette activité vers une dimension culturelle. Il s'agit ici d'une chanson sur Paris ; le champ sémantique de la chanson est révélateur de la configuration de la ville (les cafés, les boulevards, la Seine, le métro, la Tour Eiffel, etc.). On peut aussi y lire une chanson d'amour («ce que t'es belle», «quand je te quitte [...] ça me fait un mal de chien», etc.). On peut également relever les expressions idiomatiques («un mal de chien», «se faire marcher sur les pieds»...).

Poser les questions suivantes : Quel est le style de musique ? Qui est Souad Massi ? Les questions peuvent être d'ordre pratique : «Où peut-on acheter le CD ?», «La chanson est-elle connue ?»

Enfin, proposer à tout le monde de chanter en repassant le CD/la cassette.

2. Dictée interactive

Niveau:	A1.
Durée:	45 minutes.
Support:	Aucun.
Objectif:	Faire prendre conscience aux apprenants qu'il existe trois nasales en français, du fait d'un grand nombre d'oppositions comme, par exemple, «**pa**in, **po**nt, **pa**on».
Matériel:	Des cartes-mots (voir ci-dessous).
Salle:	Disposition des tables en demi-cercle autour du tableau.

Remarques sur l'objectif

Le but de cette activité est de bien faire comprendre aux apprenants que les nasales méritent un effort particulier d'articulation du fait du grand nombre d'oppositions existant dans le français oral, comme on peut le constater dans le tableau ci-dessous:

[$\tilde{\varepsilon}$]	[$\tilde{o}$]	[$\tilde{\alpha}$]
pain	pont	paon
bain	bon	banc
thym	ton	temps
rein	rond	rang
faim	fond	faon
main	mon	ment
saint	son	sang
lin	long	lent
marin	marron	marrant

N.B. Si l'apprenant articule «paon» en tirant les lèvres (position sourire), on entendra «pain». Il découvrira également que les nasales ont des correspondances graphiques très variées, en particulier le son [$\tilde{\alpha}$]. L'objectif ici sera double puisqu'il insistera sur l'articulation et la graphie des nasales.

■ DÉROULEMENT DE L'ACTIVITÉ

1. Présentation

Commencer par présenter le triangle des trois nasales avec les articulations correspondantes en prenant bien soin de signaler la position des lèvres pour chacune de nasales :
– le $[\tilde{o}]$, bouche fermée, lèvres arrondies, langue en arrière ;
– le $[\tilde{a}]$, bouche ouverte, lèvres arrondies, langue en arrière ;
– le $[\tilde{\varepsilon}]$, bouche fermée, lèvres tirées, langue en avant.

Pour chaque nasale, se mettre d'accord avec les apprenants sur un code gestuel correspondant à chaque phonème :
– faire un petit rond avec les doigts tout en le réalisant avec les lèvres pour le $[\tilde{o}]$;
– faire un rond plus grand pour le $[\tilde{a}]$;
– faire un geste d'étirement en réalisant un sourire avec les lèvres pour le $[\tilde{\varepsilon}]$.

Ce code sera utilisé systématiquement lors de l'activité. En cas de mauvaise prononciation, ne signaler l'erreur qu'avec le code gestuel. Comme toujours, l'enseignant ne sera pas le « modèle sonore », mais c'est le groupe qui trouvera à chaque fois la bonne articulation qui sera validée par l'enseignant.

2. Travail avec les cartes-mots

Distribuer au hasard des cartes-mots (des petits papiers sur lesquels sont écrits tous les mots présentés dans le tableau ci-dessus). Chaque apprenant doit en avoir un, voire deux.

Demander à un des apprenants de venir au tableau. Il devra écrire le mot prononcé par chacun des apprenants. Il a le droit de redemander au lecteur de répéter autant de fois que nécessaire le mot, jusqu'à ce qu'il décide de l'écrire au tableau. On aura, bien sûr, un problème de graphie, mais avant de préciser la graphie exacte, l'enseignant qui ne dit rien pendant cette activité, interviendra seulement au niveau du lecteur. Si la nasale n'est pas prononcée correctement, utiliser le code gestuel jusqu'à ce que le mot soit bien prononcé. Pendant cette phase, de façon générale tout le monde essaie. À ce moment-là, faire le tour du demi-cercle et profiter de cette période pour rectifier ou valider toujours avec les gestes les essais de façon individuelle. C'est-à-dire face à chaque apprenant en train d'essayer.

Si le lecteur prononce correctement le mot « sans », ceci étant validé par l'enseignant, et que le scripteur écrit « son », ne pas intervenir tout de suite ; ce sont les apprenants qui vont proposer diverses solutions selon

leurs connaissances. C'est ainsi que l'on va systématiquement explorer le phonème :
– son articulation $[\tilde{\alpha}]$ bouche ouverte, lèvre arrondie, langue en arrière);
– la correspondance graphique (cent, sans, s'en, sang)
– le sens correspondant.

Cet exercice permet aux apprenants de prendre conscience à quel point les nasales doivent être articulées de façon précise pour éviter, par exemple, les ambiguïtés telles que «j'aime le vin» au lieu de «j'aime le vent»; «je vais en province» au lieu de «je vais en Provence»; «j'aime l'OTAN» au lieu de «j'aime le thym»…

Remarques

À cette occasion et chaque fois que possible, il est intéressant de relever toutes les phrases ambiguës formulées par les apprenants, comme celles mentionnées ci-dessus. En effet, l'enseignant peut se faire ainsi un corpus de la classe, qu'il peut réutiliser quelques cours plus tard pour permettre aux apprenants de nouveaux essais sur leurs propres phrases.

Ces pratiques font référence au schéma de la spirale de l'apprentissage, comme nous l'expliquons dans l'avant-propos, et peuvent accélérer l'encodage pour une mémorisation à long terme.

Ce type d'exercice peut être proposé à tous les niveaux même avancés; il suffit de remplacer les mots par des phrases courtes comme «prends le pont!», «quel savant!», «il faut l'étendre», «il faut attendre», «il faut l'atteindre», etc. Ces phrases sont particulièrement difficiles car elles sont proposées hors contexte, ce qui oblige les apprenants à porter tous leurs efforts sur l'articulation. Ils ne peuvent pas compter sur le contexte, c'est l'articulation et l'articulation seulement qui les sauvera. N'est-ce pas là la finalité du cours de phonétique?

Il est facile de se constituer ce genre de corpus en utilisant n'importe quel livre de phonétique qui proposent un grand nombre de phrases de ce type. Cependant, il est préférable de travailler sur les phrases entendues pendant les cours.

3. La chute du «e»

Niveau : A2.
Durée : 30 minutes.
Support : *Paris*, chanson de Souad Massi et Marc Lavoine.
Objectif : Simple observation de la réalisation de la chute du «e».
Faire prendre conscience aux étudiants à quel point le
phénomène de la chute du «e» est une réalité dans l'oral
du français.
Matériel : Un tableau, un lecteur de CD/cassettes, des photocopies
du texte de la chanson.
Salle : Chaises et tables mobiles pour regroupement.

Remarques sur l'objectif

Cette activité est proposée après un cours complet sur le phénomène de
la chute du «e».

■ DÉROULEMENT DE L'ACTIVITÉ

1. Lecture

Donner aux étudiants le texte de la chanson (voir p. 70), sans parler encore
du problème de la chute du «e». Demander aux apprenants de lire
chaque ligne, chacune étant un groupe rythmique ; ceci implique qu'ils
doivent réaliser les trois types d'enchaînements (consonantiques, vocaliques, et les liaisons) sans oublier évidemment l'articulation.

Les étudiants sont disposés en cercle, chacun lit une ligne ; ils doivent
enchaîner la lecture les uns après les autres sans arrêter la chaîne orale.
Ceci les oblige à une écoute active. Cette lecture en commun permet aux
étudiants de prendre possession du texte.

2. Réflexion (en groupe)

Leur demander alors de réfléchir au problème de la chute du «e». Ils
doivent souligner tous les «e» qui pourraient disparaître (problème déjà
expliqué dans une activité ou dans un cours précédent).

Ils se mettent par deux et font des hypothèses au sujet de la disparition des «e».

3. Mise en commun

Demander à chaque groupe de commenter deux ou trois lignes. Par exemple:
«Je bois dans tes cafés/Je traîne dans tes métros/Tes trottoirs m'aiment un
peu trop.» Les «-e» des «je» pourraient disparaître. Le «-ent» de
«m'aiment» disparaît, ce qui va entraîner un enchaînement consonantique.
C'est au moment où les apprenants proposent leurs commentaires, ces
derniers soulevant souvent de nombreuses questions de la part des autres
groupes, que l'enseignant et les apprenants pourront repréciser les règles
de la chute du «e».

4. Écoute et vérification

On leur fait écouter deux fois la chanson (celle-ci ayant été choisie car
les interprètes homme et femme articulent clairement avec un débit
plutôt lent, ce qui est confortable pour les apprenants). Avec un stylo de
couleur cette fois ils barrent les «e» qui disparaissent vraiment. Leur distribuer ensuite le texte (avec les «e» barrés).

LE TEXTE COMPLET DE LA CHANSON (AVEC LES «E» BARRÉS)

Paris

Je marche dans tes rues
Qui me marchent sur les pieds.
Je bois dans tes cafés,
Je traîne dans tes métros.
Tes trottoirs m'aiment un peu trop.
Je rêve dans tes bistros,
Je m'assois sur tes bancs,
Je regarde tes monuments,
Je trinque à la santé de tes amants,
Je laisse couler ta Seine
Sous tes ponts ta rengaine,
Toujours après la peine.

Je pleure dans tes taxis
Quand tu brilles sous la pluie.
Ce que t'es belle en pleine nuit.
Je pisse dans tes caniveaux,
C'est de la faute à Hugo
Et je picole en argot.
Je dors dans tes hôtels,
J'adore ta Tour Eiffel,
Au moins elle, elle est fidèle.

Quand je te quitte un peu loin,
Tu ressembles au chagrin,
Ça me fait un mal de chien.

Paris, Paris, combien ? Paris tout ce que tu veux.
Boulevard des bouleversés.
Paris, tu m'as renversé. Paris, tu m'as laissé.
Paris, Paris, combien ? Paris, tout ce que tu veux.
Paris, Paris tenu, Paris, Paris, perdu.
Paris, tu m'as laissé Sur ton pavé.

Je me réveille dans tes bras
Sur tes quais y a de la joie,
Et des loups dans tes bois.
Je me glisse dans tes cinés,
Je me perds dans ton quartier,
Je m'y retrouverai jamais.
Je nage au fil de tes gares,
Et mon regard s'égare.
Je vois passer des cafards sur tes bars,
Je m'accroche aux réverbères.
Tes pigeons manquent pas d'air,
Et moi de quoi j'ai l'air ?

Paris, Paris, combien ? Etc.

On peut leur demander de relire le texte à haute voix en essayant cette fois de faire disparaître les « e » à l'oral.

Remarques

Nous rappelons que cette activité a pour objectif de faire observer par les apprenants à quel point la chute du « e » est une réalité de l'oral du français. C'est donc une observation et un rappel des règles de la chute du « e ».

Il est souvent très difficile de leur faire réaliser eux-mêmes la chute du « e » car l'immense majorité des apprenants adultes prennent contact avec la langue étrangère à travers l'écrit. Ils ont donc en tête l'image du « e » qu'ils ont du mal à éliminer par la suite. Il faut les rassurer et leur dire que s'ils prononcent tous les « e », on les comprendra quand même. S'ils disent « samedi » au lieu de « sam'di » on les comprendra, mais s'ils disent « j'aime le vin » au lieu de « j'aime le vent », là on a un problème de communication au niveau du sens.

4. Erreurs de prononciation: [s] et [z]

Niveau: B1.
Durée: 45 minutes.
Support: Aucun.
Objectif: Amener les apprenants à identifier et à comprendre leurs difficultés de prononciation, et à les corriger individuellement.
Matériel: Un tableau, un lecteur de CD/cassettes, des photocopies des exercices (phase 7).
Salle: Chaises et tables mobiles pour regroupement.

Remarques sur l'objectif

Noter que les Espagnols qui apprennent le français n'éprouvent aucune difficulté à distinguer [p]/[b] (poisson/boisson) à l'audition et à les reproduire. Toute leur difficulté vient de ce que [s] est confondu à [z]. Ils perçoivent, par exemple, «poison» comme «poisson», car ces variantes sonores n'ont aucune valeur distinctive dans leur langue.

■ DÉROULEMENT DU COURS

1. Présentation (5 minutes)

Présenter des mots contenant les sons en opposition, les transcrire au tableau et les lire:

dessert	désert
basse	base
poisson	poison
visse	vise
coussin	cousin
assis	Asie

2. Compréhension des lexèmes (10 minutes)

Poser la question : « Que signifie "dessert" ? » (donner des exemples). Puis, « Que signifie "désert" ? » (donner des exemples) ; et ainsi de suite pour les autres paires minimales.

3. Répétition individuelle à haute voix (10 minutes)

Les apprenants répètent individuellement la liste au tableau. En cas d'erreur, corriger immédiatement et leur faire découvrir que la confusion de ces deux sons entraînant une confusion de sens est due à l'interférence de leur langue maternelle (cf. le cas des hispanophones). Conseils articulatoires :
– [s] lèvres étirées, mâchoires fermées, langue contre les incisives inférieures ;
– [z] lèvres étirées, mâchoires fermées, langue contre les incisives inférieures, vibration des cordes vocales.

Il faut éviter de faire une répétition collective car l'enseignant risque de ne pas entendre les apprenants qui ont des difficultés de prononciation.

4. Identification d'objets ou d'images (15 minutes)

Identification des objets ou des images (sur le bureau de l'enseignant) dont le nom renferme les sons étudiés : « maïs », « garçon », « savon », « oiseau », « vase », « fusil », « douze », « lézard », « sac », « tasse », « citron », etc. Les apprenants vont un à un au tableau pour écrire le mot trouvé. Ils vont ensuite essayer de construire des phrases. Exemple : « Le garçon nettoie le vase avec du savon. »

5. Lecture (5 minutes)

Lecture individuelle des phrases proposées par les apprenants ou par l'enseignant. Exemples :
– Je ne sais pas où sont les ciseaux.
– Ce taxi parisien a déposé son client près de la Sorbonne.
– Tous les ans, Élise et François assistent à une soutenance de thèse.
– Ce stylo ne coûte que dix euros.
– Thérèse attend sa sœur devant son magasin à dix-huit heures.

6. Pour aller plus loin…

Exercices de prononciation :

A. Le son [s].

1. Passe-moi le sel, s'il te plaît.
2. Ce médecin soigne bien ses patients.
3. Francis habite dans le sud de l'Essonne.
4. Cécile ne sort plus seule, le soir, sans sa sœur.
5. Est-ce que nous irons tous ensemble, à la messe ?
6. Si tu es sage, je t'emmènerai au cinéma, samedi soir.
7. Bonsoir, Monsieur ! Je vais au 26 rue d'Assas, s'il vous plaît !

B. Le son [z].

1. Voulez-vous visiter le pays des oliviers ?
2. Ma voisine Suzanne a deux enfants très intelligents.
3. Nous irons avec Zoë, vers dix heures, dans un café sur les Champs-Élysées.
4. Thérèse écoute souvent de la bonne musique chez elle.
5. Isabelle ! Mets ces roses dans ce vase, s'il te plaît.
6. Ils ont trois petits-enfants de treize ans.

C. Mélange de [s] et [z].

1. Je ne sais pas où sont les ciseaux.
2. Nos étudiants visitent, en ce moment, l'Église Saint-Sulpice.
3. Ma cousine Louise est assise très souvent sur un coussin.
4. Estelle ! Ta fille a deux ans ou douze ans ?
5. Roselyne propose à son cousin de l'attendre à 17 heures devant son magasin.
6. Attention ! Ne prends pas ce dessert, il n'est pas à toi !
7. Tous les ans, Élise et François assistent à une soutenance de thèse.
8. Ce stylo ne coûte que dix euros, toutes taxes comprises.

5. Reconnaître les sons [ø] et [œ]

Niveau:	A1-A2/.
Durée:	1 heure.
Support:	Documents photocopiés (cf. Matériel).
Objectif:	Reconnaître et acquérir les sons [ø] et [œ].
Matériel:	Un tableau, un lecteur de CD/cassettes, des images découpées dans les magazines représentant des produits dont le nom contienne le son étudié (du beurre, des œufs, etc.), des photocopies des exercices.
Salle:	Chaises et tables mobiles pour regroupement, ou un laboratoire de langue.

▇ DÉROULEMENT DE L'ACTIVITÉ

1. Identification des sons (25 minutes)

Présenter des objets ou des photos contenant les sons étudiés en précisant la position du phonème dans le mot. Exemples:
– position à l'initiale: euro, Eugène, œuvre, œuf…
– position en intermédiaire: peur, beurre, cœur, bœuf…
– position en finale: Dieu, deux, eux, vœu, nœud, yeux…

   Donner les règles de prononciation du phonème:
   – quand la syllabe est terminée par une voyelle prononcée, la voyelle est fermée [ø] (peu, feu, lieu, œufs, bœufs…)
   – quand la syllabe est terminée par une consonne prononcée, la voyelle est ouverte [œ]: neuf, seul, veuve, pleure, œil, accueil, deuil…

   Expliquer et montrer l'articulation: la position des lèvres «arrondies», la place de la langue et les mâchoires «mi-fermées».

   Prononcer les mots suivants et les faire répéter aux apprenants sans supports visuels:
   – des mots ayant une syllabe (bleu, feu, jeu, dieu, queue, mieux, ceux, lieu…);
   – puis deux syllabes (adieu, euro, monsieur, précieux, messieurs, odieux…)
   – et enfin trois syllabes (délicieux, silencieux, généreux, merveilleux…).

Ensuite leur demander de rechercher par groupe des mots contenant le son étudié, soit en position initiale, en position médiane ou en position finale.

Écrire au tableau graphiquement et phonétiquement les mots proposés par le groupe. Ce principe valorise leurs connaissances et leur donne l'habitude de proposer d'autres mots. Puis leur demander de trouver six phrases contenant les sons étudiés (exemple : «je veux des œufs»).

2. Lecture et explication de mots nouveaux (20 minutes)

Distribuer le document photocopié proposant des phrases avec les phonèmes [ø] et [œ] :

Exercices avec [ø]

A.

peu/bœufs
feu/vœu
ceux/eux
jeu/deux
cieux/mieux

B.

1. Je veux deux œufs pour mes neveux.
2. Eugène est un garçon sérieux.
3. Matthieu peut jeûner deux fois par mois.
4. Ce monsieur demande souvent du feu.
5. Julie a deux nœuds dans les cheveux.
6. Le vieux Gaston aime bien les feutres bleus.
7. S'il pleut jeudi, c'est vraiment ennuyeux !
8. Cette chanteuse a de beaux yeux bleus.

C.

Mélange de [ø] et [y]

1. Eugénie est furieuse.
2. Veux-tu le numéro deux-cent-deux ?
3. Tu peux jeûner si tu veux !
4. Eudes n'allume jamais le feu.
5. Tu veux encore du mousseux ?
6. As-tu vu les deux bœufs ?

Exercices avec [œ]

A.

| œuf | neuf | bœuf | veuve | meuble | |
| peuple | seul | jeune | meurt | cueille |

B.
1. La veuve de Jean cueille des fleurs.
2. Qui vole un œuf, vole un bœuf.
3. Le jeune aveugle meurt de peur.
4. Les jeunes mariés veulent leurs meubles neufs.
5. Leur sœur a souvent mal au cœur.
6. Notre club accueille neuf jeunes joueurs.
C.
Mélange de [ø] et [œ]
1. Ces deux veuves pleurent.
2. Le chauffeur veut deux pneus neufs.
3. Ce beurre m'écœure un peu.
4. Ce joueur jeûne tous les deux jours.
5. C'est une erreur! Ma coiffeuse ne veut plus acheter de meubles.
6. Tous les jeudis, l'ingénieur Tardieu reste seul à Saint-Brieuc.

Lecture à haute voix par les apprenants et explication des mots nouveaux. Par groupe de deux, les apprenants repèrent les types de syllabes (ouverte ou fermée), y compris les exceptions comme «chanteuse», [ø] en syllabe fermée.

3. Fixation/mémorisation (15 minutes)

L'enseignant lit la phrase et les apprenants la répètent à tour de rôle et ainsi de suite en s'écoutant mutuellement et en s'auto-corrigeant, si nécessaire. Pour l'exercice où les deux phonèmes sont mélangés, il est intéressant de distribuer au groupe des petits carrés de papier de couleur distincte, en ayant précisé avant l'écoute leur rapport, par exemple: vert pour le son [ø] et rouge pour le son [œ]. À l'écoute de la phrase, les apprenants lèvent le carré de couleur correspondant au son entendu par eux. Le «fautif» est vite repéré. Mais le but du jeu n'est pas de «pénaliser» mais au contraire de faciliter la mémorisation et de donner un côté ludique à ce travail phonétique très «précis».

Le jeu du «téléphone arabe» est une autre manière de pratiquer la répétition/mémorisation des phrases comportant les phonèmes étudiés. Il s'agit de transmettre un message dit par l'enseignant à l'oreille d'un 1er apprenant qui le «passe» et ainsi de suite jusqu'à l'enseignant qui à la fin clame le message «téléphoné». Exemples de messages: «ce monsieur veut encore du mousseux», «ma sœur pleure car elle a mal au cœur.». L'erreur devient «jeu» et amusement, ce qui aide à la mémorisation.

6. Le Petit Prince

Niveau:	A1.
Durée:	45 minutes.
Support:	Un extrait du *Petit Prince* d'Antoine de Saint-Exupéry.
Objectif:	Travail sur les trois enchaînements (la liaison, l'enchaînement vocalique, l'enchaînement consonantique).
Matériel:	Un lecteur de CD/cassettes, l'enregistrement et des photocopies du texte complet et du texte lacunaire.
Salle:	Disposition des tables en cercle.

Remarques sur l'objectif

Le texte choisi ici est un extrait du *Petit Prince* (chapitre 18). C'est un chapitre court, ce qui permet d'exploiter un extrait dans sa totalité pour le niveau qui nous intéresse ici, c'est-à-dire élémentaire. Cet extrait permet de s'amuser avec l'intonation; en effet, il est facile de faire comprendre aux apprenants qu'il s'agit ici de se mettre dans la peau de quelqu'un qui raconte une histoire à un enfant. Il n'est pas question de se contenter d'une intonation monocorde, car l'enfant ne comprendrait rien à l'histoire. Nous allons donc devoir utiliser trois intonèmes de base de la fonction intonative (rappelons qu'il existe cinq intonèmes de base: l'intonème grave [1], médium [2], infra-aigu [3], aigu [4], suraigu [5]).

Ce court extrait propose un petit dialogue présenté par un narrateur et qui met en scène deux personnages: le narrateur, le petit prince et la fleur. L'histoire racontée (le narrateur) et jouée (les personnages) devra donc être dite avec des musiques différentes, plutôt basses (1, 2 et 3) pour le narrateur, plutôt aiguës (4 et 5) pour le dialogue. Le petit prince découvre le monde, il est très curieux, il s'étonne; on est dans l'intonème suraigu. La fleur vit seule sur sa planète, elle est contente de rencontrer le petit prince; on est aussi dans le ton suraigu. C'est une exigence qu'il faut absolument imposer. Il faut que les apprenants acceptent de se libérer du registre monocorde largement utilisé en groupe pour toutes les raisons déjà mentionnées (inhibition, timidité, peur de l'erreur, peur du groupe).

Ils peuvent tous le faire. En effet, les registres aigus qui correspondent à la surprise, à la joie, au questionnement, sont universels. Il en est de même pour les registres graves correspondant à la colère, la tristesse, la domination (ordre), le désir d'effacement, etc.

Ceci étant posé clairement, nous pourrons travailler les enchaînements. Les apprenants savent qu'il existe trois types d'enchaînements :
– les enchaînements consonantiques ;
– les enchaînements vocaliques ;
– les liaisons.

L'extrait choisi ici propose des groupes rythmiques d'une moyenne de cinq à six syllabes, ce qui correspond à la longueur des groupes rythmiques du niveau élémentaire.

En s'appropriant cet extrait littéraire, les apprenants mesurent le problème de l'enchaînement dans la lecture d'un texte français.

■ DÉROULEMENT DE L'ACTIVITÉ

1. Écoute et texte lacunaire

Faire écouter le CD/cassette et faire découvrir le texte aux apprenants sous forme de texte lacunaire. Ils écoutent, reconnaissent et remplissent les espaces prévus. Si l'on n'a pas le CD/cassette, l'enseignant peut lire le texte plusieurs fois en exagérant les intonations.

TEXTE LACUNAIRE

Le petit prince traversa …… et ne rencontra qu' …… .
…… à trois pétales, …… de rien du tout.
– ……
dit le petit Prince.
– ……
dit la fleur.
– Où sont …… ?
demanda poliment le petit prince.
La fleur, …… , avait vu passer …… .
– …… ? Il en existe, je crois, ……………….Je ….. ai aperçus, il y a ………….. Mais on ne sait jamais …… les trouver. …… les ……
. Ils manquent de …… , …… les gène beaucoup.
– …… ,
fit le petit prince.
– …… ,
dit …… .

86

Le petit prince traversa le désert et ne rencontra qu'une fleur. Une fleur à trois pétales, une fleur de rien du tout.

– Bonjour,

dit le petit Prince.

– Bonjour,

dit la fleur.

– Où sont les hommes ?

demanda poliment le petit prince.

La fleur, un jour, avait vu passer une caravane.

– Les hommes ? Il en existe, je crois, six ou sept. Je les ai aperçus il y a des années. Mais on ne sait jamais où les trouver. Le vent les promène. Ils manquent de racines, ça les gêne beaucoup.

– Adieu,

fit le petit prince.

– Adieu,

dit la fleur.

2. Lecture

Lorsque le texte est complété par les informations données par la lecture, demander à quelques étudiants de lire un passage, et, petit à petit, faire remarquer l'importance des enchaînements dans les groupes rythmiques. Puis, distribuer le texte complet avec les aménagements suivants :

– ↗ ton montant ;

– ↘ ton descendant ;

– caractère gras = lieu de l'accentuation/intonation montante ou descendante.

      ↗   ↗   ↘

Le petit **prince** traversa le dé**sert** et ne rencontra qu'une **fleur**. Une

        ↗   ↘

fleur à trois pé**tales**, une fleur de rien du **tout**.

     ↗

– Bon**jour**,

        ↘

dit le petit **prince**.

     ↗

– Bon**jour**,

   ↘

dit la **fleur**.

↗
– Où sont les **hommes**?

↘
demanda poliment le petit **prince**.

↗   ↗   ↘
La **fleur**, un **jour,** avait vu passer une cara**vane**.

↗   ↗   ↗   ↘   ↗
– Les **hommes**? Il en e**xiste**, je **crois**, six ou **sept**. Je les ai aper**çus**

↘   ↗   ↘
il y a des an**nées**. Mais on ne sait ja**mais** où les trou**ver**. Le vent les

↘   ↗   ↘
prom**ène**. Ils manquent de ra**cines**, ça les gêne beau**coup**.

↗
– A**dieu**,

↘
fit le petit **prince**.

↗
– A**dieu**,

↘
dit la **fleur**.

Il faut montrer qu'il y a une grande différence d'intonation entre le narrateur et le dialogue, et il faut exagérer cette différence. Pour que les apprenants adhèrent à ce jeu, il suffit de lire l'histoire d'un ton monocorde, sans différence entre l'intonation objective du narrateur et l'expressivité des sentiments des personnages. Les apprenants comprennent tout de suite que l'histoire devient incompréhensible.

Les enchaînements
Prenons un passage. La limite de chaque groupe est matérialisée ici par les caractères gras. On doit donc exiger un enchaînement au sein de chacun de ces groupes:

Les **hommes**? (liaisons)
[lezɔm]
Il en e**xiste**, (enchaînement consonantique et liaisons)
[ilãnɛgzist]
je **crois**, six ou **sept**. (enchaînement consonantique)
[ʒəkʀwa] [sisusɛt]
Je les ai aper**çus** (liaison) et (enchaînement vocalique)
[ʒəlezeapɛrsy]
il y a des an**nées**. (enchaînement consonantique et liaisons)
[iljadezane]

Une fois que les élèves ont bien compris et qu'ils ont tous eu l'occasion d'essayer plusieurs fois, il faut les mettre en groupes de trois, et les laisser se distribuer les rôles. Pendant qu'ils s'entraînent, aller de groupe en groupe pour valider ou les aider à améliorer leur production. Enfin, chaque petit groupe présente son travail. Il faut leur permettre de s'installer comme ils veulent : certains veulent dessiner une fleur au tableau, d'autres préfèrent marcher…

Remarques

Il arrive souvent que, sous l'effet du stress, le groupe qui présente le texte parle trop vite. Il faut leur signaler ce petit défaut et leur demander de recommencer tranquillement en respirant bien. En général le deuxième essai est nettement mieux. On peut aussi demander au groupe spectateur de signaler les réussites et les problèmes.

Cet exercice, s'il est plutôt réussi, peut provoquer une émotion chez l'élève sensible à la poésie ou à la philosophie du texte. En devenant les représentants des personnages de l'histoire, ils acceptent d'endosser une certaine responsabilité quant à la transmission du sens. On peut faire à ce moment-là, si besoin est, une petite « pause phonétique » pour laisser le sens prendre le dessus et laisser les élèves exprimer ce qu'ils ont à dire à ce sujet. Ces moments sont en général très riches en échanges interculturels.

En ce qui concerne l'intonation, des variantes peuvent être proposées par l'enseignant – ou par les apprenants, pourquoi pas, cela peut être amusant – mais il faut rester très stricte en ce qui concerne les enchaînements.

Cette fiche s'adresse au niveau élémentaire. Pour d'autres niveaux, il est facile de choisir n'importe quel autre chapitre du *Petit Prince* ou d'un conte, ou d'un article de presse pour des niveaux intermédiaires ou avancés ; il suffit de veiller à la longueur des groupes rythmiques.

4. Les fiches pratiques

7. Le mime

Niveau:	B2.
Durée:	45 minutes.
Support:	Aucun.
Objectif:	Faire prendre conscience aux apprenants que le rôle de l'articulation (labialisation, aperture, position de la langue, musculation de l'appareil phonatoire) est incontournable pour produire les sons du français.
Matériel:	Un tableau, un triangle sur lequel sont disposées les voyelles orales du français (voir ci-dessous).
Salle:	Chaises disposées en cercle autour du tableau sur lequel on présente le triangle (tout le monde y compris l'enseignant doit voir et être vu par tout le groupe).

Remarques sur l'objectif

Pas d'articulation = pas de son prononcé correctement = pas de compréhension = l'accès au sens devient aléatoire.

Il va falloir apprendre «à faire des grimaces». Pour certains apprenants, le fait d'arrondir les lèvres en les avançant est finalement un tel effort qu'ils ont l'impression de se faire violence et de faire des grimaces. On ne fait pas de grimaces naturellement, il va falloir leur faire oublier qu'ils grimacent.

Il ne suffit pas de dire aux apprenants: «ouvrez la bouche, arrondissez les lèvres», il faut aussi leur montrer en silence, «mimer», et surtout leur laisser le temps d'essayer si possible en s'amusant, autant de fois qu'ils le désirent, afin qu'ils prennent conscience des processus à mettre en place pour leur nouvelle musculation. C'est à la faveur de cette expérience qu'ils comprendront la pertinence et la nécessité de leurs efforts.

Remarques sur le matériel

Le triangle sera à utiliser de façon récurrente afin de favoriser la mémorisation. En effet, on présentera ce triangle de façon systématique au début de chaque cours ou chaque fois que nécessaire, ce qui aura l'avantage de permettre aux apprenants de mettre en œuvre de plus en plus rapidement tous les paramètres articulatoires nécessaires à la production du son présenté sur le triangle.

■ DÉROULEMENT DE L'ACTIVITÉ

1. Introduction

Prévenir les étudiants que l'activité du jour est une activité fondamentale pour l'acquisition des phonèmes et que cette activité sera réutilisée assez souvent pendant l'ensemble du cours, voire systématiquement à chaque séance (dans le cadre d'un cours semestriel de phonétique). Ici, c'est le corps de l'apprenant qui participe prioritairement à son apprentissage. L'ancrage de la mémoire se fait aussi intimement dans la musculation de l'appareil phonatoire. Il va falloir libérer ce corps pour faire oublier les habitudes profondément inscrites dans le système musculaire et mises en place par le système phonétique de la langue maternelle.

Remarques

Ce travail sur le corps doit être présenté de façon ludique. Ceci permet en effet de désinhiber certains apprenants ayant des blocages dus à leur culture d'origine. D'où l'importance de la disposition du groupe en cercle. On aura toujours un élève prêt à jouer le jeu, il sera encouragé pour sa bonne volonté, on rira peut-être au début, justement parce qu'il a l'air de s'amuser. Petit à petit, les blocages tombent et tout le monde procède à des essais, on se regarde à gauche, à droite, en face ; la classe se remplit soudain de « bruits » qui sont des essais. Tous, peu à peu, se rassurent et comprennent l'intérêt du « mime ».

2. Présentation du triangle des voyelles orales

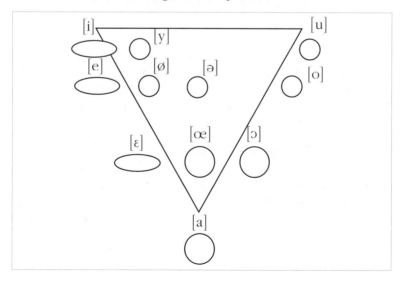

Expliquer la signification du triangle (car il sera toujours présenté exactement de la même façon) à l'aide de petits symboles disposés sur le triangle :

– lèvres tirées : ⬭

– lèvres arrondies : ◯

– langue en avant : ◄—

– langue en arrière : —►

– bouche ouverte : ◯

– bouche fermée : ◯

3. Essais articulatoires

Une fois que les symboles sont bien compris, pointer un endroit précis dans le triangle. Les apprenants commencent eux-mêmes à faire les essais articulatoires correspondants (par exemple, arrondir les lèvres, langue en avant, mâchoire très fermée).

Pendant cette phase l'enseignant doit être silencieux et très attentif aux sons produits. Dès que le son attendu est prononcé, pointer du doigt l'élève qui l'a réalisé et lui demander de recommencer. Tout le monde peut le voir – une partie de l'articulation est inscrite sur son visage – et l'entendre. Automatiquement, tout le monde essaiera de l'imiter. Commencer à faire le tour en tendant l'oreille, et valider avec un signe de tête ou avec la main chaque fois que vous entendez le phonème réussi.

Remarques

L'enseignant est l'expert, mais il ne doit pas se positionner sans cesse en modèle car il risque de décourager l'apprenant. En effet, les étapes de réalisation de la bonne articulation par l'apprenant se franchissent par la pratique. La différence est grande entre les premiers essais d'un son inconnu et le « son d'arrivée ».

C'est un peu comme si on disait à quelqu'un qui apprend à faire du vélo : « Regarde ! Il faut faire comme ça », mais avant d'arriver à faire « comme ça », il faut qu'il puisse passer par les étapes intermédiaires. De la même façon, les apprenants passeront par toutes sortes d'étapes avant de maîtriser le son cible, si l'enseignant les laisse travailler entre eux et qu'ils s'aident les uns les autres. Ils trouveront petit à petit la bonne façon d'articuler.

Lorsqu'un apprenant arrive – enfin – à prononcer un son difficile pour lui comme, par exemple, le [u], il faut lui demander d'essayer d'expliquer comment il a fait. Ainsi, il peut décrire les étapes intermédiaires, et souvent il donnera «un truc» que «le prof-expert» ne pourrait pas donner. Ces échanges sont très riches pour les apprenants. Ces manières de faire enrichissent le cours et leur donnent confiance.

Cette méthode permet à tout le monde d'essayer, d'écouter. L'apprenant est en situation active, il prend en charge son apprentissage.

À l'occasion de ces séances, certains apprenants croient vraiment qu'ils arrondissent les lèvres alors qu'ils font le contraire. Le «mime» leur fait prendre conscience à quel point ce travail musculaire est indispensable. L'enseignant doit encourager son groupe à travailler de la sorte. Le processus : «essai/erreur/essai» fait partie des états de langue intermédiaires et instables, car l'apprenant ne passe jamais de la découverte à l'expertise d'un seul coup.

8. Sachez couper l'oral

Niveau:	B1-B2+.
Durée:	45 minutes.
Support:	«C'était le printemps» dans *Nouvel Espace*, Hachette, 1995.
Objectif:	Trouver les groupes rythmiques.
Matériel:	Un lecteur CD/cassette, l'enregistrement et la transcription du texte.
Salle:	Chaises disposées en cercle.

Remarques sur l'accent tonique

En phonétique, on travaille toujours dans un groupe rythmique (GR) quelle qu'en soit la longueur, qu'il faut considérer comme une suite de syllabes. Tout groupe reçoit une accentuation «tonique» sur la dernière syllabe, même si le groupe n'est composé que d'un seul mot comme, par exemple, «viens!». Le mot perd son accentuation au profit du groupe, comme dans «viens **ici**!» où la syllabe «ci» reçoit à son tour l'accentuation. Ce phénomène très particulier n'existe pas dans la plupart des autres langues et il rend le repérage des mots très difficile dans la chaîne parlée.

L'oral est donc rythmé par une suite de «groupes» d'où le terme «groupe rythmique». L'étendue du groupe équivaut à une **unité de sens** et l'accent doit toujours être posé sur la dernière syllabe. (oxytonisme du français). Les apprenants doivent être conscients de cet aspect très particulier de l'oral du français. Cette fiche leur permettra de savoir constituer eux-mêmes la longueur d'un GR.

Remarques sur la longueur d'un groupe rythmique

Elle est très variable en français. On le mesure selon le nombre de syllabes prononcées. La constitution des GR est intimement liée à la syntaxe.

Un **sujet**, un **verbe**, un **complément**, représentent une idée et constituent généralement un groupe rythmique. Toutefois, un sujet ne pourra former qu'un seul groupe avec le verbe si le sujet est un pronom comme, par exemple, «il boit». De la même façon, un complément très court pourra ne former qu'un seul groupe avec le verbe comme par exemple, «Julie est fatiguée».

Le nombre de syllabes dans un GR peut varier de une à, plus ou moins, huit. En général, les groupes rythmiques de deux, trois ou quatre syllabes sont beaucoup plus nombreux que les GR de huit syllabes. Plusieurs paramètres interviennent pour déterminer la longueur d'un GR :
- le sens (le facteur le plus important) ;
- la rapidité du débit ;
- l'agencement des mots ;
- l'intention du locuteur ;
- le niveau d'élocution.

La variation de l'étendue des GR est aussi dépendante de facteurs tels que la nature des mots, leur structure syllabique, leur agencement. Dans le cadre de cette fiche, nous ne pouvons pas analyser toutes les causes provoquant la variation de la longueur des GR.

C'est l'entraînement qui donnera à l'apprenant le bon réflexe du groupe rythmique.

■ DÉROULEMENT DE L'ACTIVITÉ

1. Présentation

Dans une première phase, présenter l'ensemble des étapes comme une sorte de modèle, chaque étape ayant pour but de faire prendre conscience aux apprenants que le groupe rythmique est la base de la chaîne parlée et que chaque groupe véhicule du sens.

2. Première lecture

Consigne orale : «Essayez de lire ces groupes de mots en posant une accentuation montante sur la dernière syllabe de chaque groupe» :

Il était **six** ↗

heures du soir **le** ↗

vendredi **dix** ↗

mai 1968 **quand** ↗

on a frappé à **ma**

porte c'était **mon** ↗

ami Loïc étudiant **à** ↗

la Sorbonne **comme** ↗

moi. ↘

2. Réflexion, travail en groupes

Consigne orale : «Que remarquez-vous? Est-ce que vous avez compris ce que vous venez de lire?» Demander alors aux apprenants de se mettre en groupes de deux et de former des GR porteurs de sens, ce qui donnera, par exemple :

> Il était 6 heures du **soir** ↗
>
> le vendredi 10 mai 196**8** ↗
>
> quand on a frappé à ma **porte** ↗
>
> c'était mon ami Lo**ïc** ↗
>
> étudiant à la Sor**bonne** ↗
>
> comme **moi.** ↘

3. Élargissement des GR

Demander aux apprenants d'élargir les groupes rythmiques encore plus, ce qui complique le niveau de l'exercice puisqu'ils devront lire ces grands groupes toujours en respectant les enchaînements, l'articulation et l'intonation.

> Il était 6 heures du soir le vendredi 10 mai 196**8** ↗
>
> quand on a frappé à ma **porte** ↗
>
> c'était mon ami Lo**ïc** ↗
>
> étudiant à la Sorbonne comme **moi.** ↘

Demander aux apprenants de refaire la même démarche avec la suite des groupes de mots suivants :

> À 7 heures et de**mie**
> le cortège s'est for**mé**
> et on a commen**cé**
> à descendre le boulevard Ara**go**
> nous voulions pa**sser**
> devant la prison de la San**té**

> Grands groupes
> À 7 heures et demie le cortège s'est for**mé**
> et on a commencé à descendre le boulevard Ara**go**
> nous voulions passer devant la prison de la San**té.**

4. Réduction en groupes de sens minimum

Même si les étudiants sont d'un niveau B1 ou B2, leur demander de réduire le passage suivant en groupes de sens minimum. Ainsi, ils comprendront et sentiront que les groupes sont déterminés par le locuteur, selon de multiples paramètres, comme par exemple l'intention du locuteur (on ne choisira pas la même longueur de GR si l'on discute avec des amis [groupes rythmiques plutôt longs], si l'on veut convaincre [plutôt courts] ou si l'on veut être compris [plutôt courts]…) :

> Des étudiants y étaient enfermés depuis le 3 **mai**
> les C.R.S. nous y attendaient et nous avons dû faire demi-**tour**
> mais la police nous bloquait et ne nous laissait qu'une seule i**ssue**
> le boulevard Saint-Mi**chel**
> Groupes de sens minimum
> Des étu**diants**
> y étaient enfer**més**
> depuis le 3 **mai**
> les C.R.**S.**
> nous y atten**daient**
> et nous avons dû faire demi-**tour**
> **mais**
> la police nous blo**quait**
> et ne nous laissait qu'une seule i**ssue**
> le boulevard Saint-Mi**chel.**

5. Entraînement sur l'ensemble du texte

Selon le niveau du groupe d'étudiants, leur laisser du temps pour qu'ils s'entraînent cette fois sur l'ensemble du texte, qui pourrait être découpé par exemple comme ci-dessous. Les obliques seules signalent une petite pause, les doubles obliques signalent des pauses plus importantes, qui souvent correspondent respectivement à l'écrit, à la virgule et au point :

> Il était 6 heures du soir le vendredi 10 mai 1968 / quand on a frappé
> à ma porte / c'était mon ami Loïc / étudiant à la Sorbonne comme
> moi // A 7 heures et demie / le cortège s'est formé / et on a commencé

à descendre le boulevard Arago / nous voulions passer devant la prison de la Santé // Des étudiants y étaient enfermés depuis le 3 mai / les C.R.S. nous y attendaient / et nous avons dû faire demi-tour / mais la police nous bloquait / et ne nous laissait qu'une seule issue / le boulevard Saint-Michel.

6. Repérage des GR

Proposer aux apprenants le texte sans ponctuation ni majuscules puis, au laboratoire ou en classe, leur faire écouter le CD/cassette. Cette fois, ils repéreront ces fameux groupes rythmiques, et ajouteront au texte qu'ils ont sous les yeux, les obliques correspondants aux pauses. Les pauses étant souvent courtes dans la parole, ils pourront les repérer grâce aux sommets intonatifs montants (la virgule) et descendants (points) :

Caroline Sauton / raconte//
Il était six heures du soir / le vendredi 10 mai 1968 / quand on a frappé à ma **porte** // c'était mon ami Loïc/étudiant à la Sorbonne/comme **moi** // dépêche-toi //m'a-t-il crié dès que j'ai ouvert la porte // il y a déjà plus de 10 000 personnes / place Denfert-Ro**chereau** //je n'ai pas eu le temps de lui répondre / il était déjà en bas de l'esca**lier** // 10 000 personnes / il exagérait sans **doute** //quelques minutes plus tard/j'étais dans la **rue** // j'habitais porte d'Orléans / à quelques centaines de mètres/de la Place Denfert-Ro**chereau** // quand j'ai vu cette foule / j'ai eu le souffle cou**pé** // c'est vrai qu'ils étaient des mi**lliers** // il faisait un temps superbe / et il y avait une ambiance de **fête** // vers six heures et demie / d'autres groupes sont arri**vés** // nous sommes restés là environ une heure/ à attendre les con**signes** // …

Remarques

Dans cet extrait, on note un mélange de narration et de discours direct. Ceci implique des intonations particulières.

Dans le discours direct, on s'approche de l'expressivité des sentiments. Le locuteur se sert d'intonations montantes plus hautes que dans l'expression neutre s'il veut exprimer la joie, la surprise, la colère. À l'inverse, il sera dans une courbe mélodique plus basse que l'expression neutre quand il exprimera la tristesse, le découragement, etc.

Cet exercice permet aux étudiants de mesurer l'importance et la spécificité du groupe rythmique en français. Un accent mal placé trouble la compréhension du message. À une idée correspond un groupe rythmique révélé à l'oral par un accent tonique sur la dernière syllabe du groupe.

9. Confusion $[y]$ prononcé $[i]$

Niveau: B2.
Durée: 45 minutes.
Support: Documents conçus par l'enseignant (paires minimales).
Objectif: Prévention et prise de conscience de l'articulation des sons en opposition pour éviter toute confusion d'incompréhension.
Matériel: Un tableau, un lecteur de CD/cassettes, photocopies des exercices.
Salle: Tables et chaises mobiles pour permettre le déplacement du groupe.

Remarques sur l'objectif

Le $[i]$ ne pose presque jamais de problème puisqu'il est l'un des éléments du triangle vocalique universel. On peut conseiller aux apprenants d'étirer les lèvres comme pour le $[i]$ et l'arrondir (en prolongeant bien les lèvres) comme pour souffler une bougie pour obtenir le $[y]$ qui est un problème majeur en français. Rares sont les langues qui l'intègrent.

■ DÉROULEMENT DU COURS

1. Présentation des sons isolés (5 minutes)

Prononcer le son $[i]$ les mâchoires assez serrées, les lèvres étirées comme quand on sourit, et l'écrire au tableau en caractères latins puis en transcription phonétique. Du $[i]$, prononcer $[y]$ en arrondissant les lèvres. Répéter la prononciation de ces sons. Les apprenants répètent après l'enseignant.

Donner les traits distinctifs de ces phonèmes:
– $[i]$ voyelle, orale antérieure (langue vers l'avant de la cavité buccale), non arrondie (lèvres étirées), fermée (ouverture de la bouche);
– $[y]$ voyelle, orale antérieure (langue vers l'avant de la cavité buccale), arrondie (lèvres s'avancent et s'arrondissent), fermée (ouverture de la bouche).

Faire trouver par les apprenants que la différence d'articulation est la labialité.

2. Exercice d'articulation

Exercice à partir de paires minimales prononcées et écrites au tableau par l'enseignant (10 minutes).

riz [ʀi]	rue [ʀy]
Line [lin]	une [yn]
bis [bis]	bus [bys]
pile [pil]	pull [pyl]
cri [kʀi]	cru [kʀy]
Il a perdu la vie.	Il a perdu la vue.
Gilles est ici.	Jules est ici.

Remarques

On constate que certains apprenants ne possédant pas le son [y] auront tendance à prononcer «minite» au lieu de «minute», «pire» au lieu de «pure», «si» au lieu de «su», «sir» au lieu de «sur», «c'est initile» au lieu de «c'est inutile», «il a l'habitide» au lieu de «il a l'habitude», «ti est ridikile» au lieu de «tu es ridicule», «Jiles a li le livre» au lieu de «Jules a lu le livre».

3. Exploitation orthographique (10 minutes)

Faire chercher par les apprenants des mots présentant ces sons en opposition. Les exemples proposés sont écrits au fur et à mesure au tableau et font découvrir les différentes graphies correspondantes pour la maîtrise de la lecture :

[i]	[y]
i : il, pire, ici	**u :** sur, mur, vue
î : île	**û :** sûre, mûr
ï : maïs, naïf	**ü/ë :** aiguë/aigüe
y : type, bicyclette	**eu :** (avoir au passé composé) j'ai eu, ils eurent (avoir au passé simple – dans les textes littéraires)
	eût (avoir au subjonctif passé – dans les textes littéraires)

Écrire au tableau les exceptions, les mots tels que ceux qui suivent. Les apprenants doivent découvrir leur prononciation.

bière, pierre, papier, hier, etc.	huit, muette, cuir, lui, tuer, Suède, etc
crier, prière, etc.	cruel, gluant, concluant, etc.

Corriger les réalisations fautives et prononcer une fois. Désigner un apprenant puis un autre qui répète. Faire découvrir ensuite les règles d'exception :

– «i» + voyelle prononcée ou une consonne + «i» + voyelle prononcée = $[j]$ («jod») ;

– deux consonnes + «i» + voyelle prononcée = $[ij]$;

– « u» + voyelle prononcée ou une consonne + «u» + voyelle prononcée = $[\text{ɥ}]$ («ué») ;

– deux consonnes + «u» + voyelle prononcée = $[y]$.

Les étudiants cherchent des exemples.

4. Lecture (15 minutes)

Proposer des phrases sur une feuille polycopiée où $[y]$ est en contexte favorable pour la prononciation de ce son (entourage j, m, b, p, f, ch, intonation descendante, position finale) :

C'est du jus.
C'est une mule.
Il est mûr.
Il a marqué trois buts.
Il a trop bu.
Chut !
Tu habites ici ?
Tu restes assis ?
Passe-moi la scie !
Qu'est-ce que tu dis ?

ou en contexte non favorable :

Il est enrhumé.
Il a perdu six kilos.
Ton habit est usé.
Il est venu à huit heures.
Où habites-tu ?
Il est reçu.

5. Pour aller plus loin...

Exercices de prononciation :

A.

utile	usine	issu	inutile	minute	suffit
ridicule	musique	chirurgie	public	uni	

B.

1. Sylvie et Lucile écoutent de la musique classique.
2. Un kilo de riz vous suffit ?
3. Merci ! Il est inutile de continuer.
4. Attends une minute, s'il te plaît !
5. Julie est une fille unique.
6. Mais c'est ridicule !
7. Il est strictement interdit de fumer à l'Institut.
8. Tante Suzy a subi une chirurgie esthétique, aux États-Unis.
9. Éric ne figure sur aucune liste électorale.
10. Guy ! Tu n'es pas du tout gentil avec ta famille !
11. Lucie travaille la nuit dans une usine.
12. Cette fille est très déçue. Elle ne verra plus la Tunisie.
13. Tu n'as pas vu cette publicité ?
14. Ne prenez pas cette voie sans issue !
15. Le jury a élu Ludovic à l'unanimité.

10. Premier cours :
faire connaissance

Niveau :	Tous niveaux (sauf débutants).
Durée :	30 à 40 minutes.
Support :	Aucun.
Objectif :	Faire connaissance.
Matériel :	Aucun.
Salle :	Chaises et tables mobiles pour regroupement. Espace suffisant pour permettre à l'enseignant de circuler.

Remarques sur l'objectif

Le premier cours est primordial ; nous savons tous que les premières impressions sont tenaces. Il faut donc d'emblée créer une atmosphère détendue, propice à l'apprentissage, et donner aux étudiants le sentiment d'appartenir à un groupe dans lequel ils se sentent bien ; autrement dit, instaurer un climat de confiance et de bonne entente. Il est donc préférable d'éviter les présentations individuelles devant la classe : c'est intimidant pour celui qui parle et cela devient vite répétitif et ennuyeux pour les autres. De plus, il est important de donner tout de suite aux étudiants l'habitude de communiquer entre eux.

▎ DÉROULEMENT DE L'ACTIVITÉ

1. Présentation et travail en groupe (10 minutes)

Présenter l'objectif de l'activité qui est de permettre aux étudiants de faire connaissance.

Les apprenants se mettent librement par groupes de quatre. Ils ont 10 minutes **pour se trouver un maximum de points communs.**

Vérifier la compréhension de la consigne et donner un exemple pour plus de clarté : imaginons que, dans un groupe, tous les étudiants ont un animal domestique ; ou encore aucun étudiant du groupe ne parle espagnol.

Les étudiants doivent donc s'interroger mutuellement pour découvrir ce qu'ils ont en commun. Tous sont ainsi obligés de participer, mais, pour les plus timides, la petite taille du groupe est un facteur sécurisant.

4. Les fiches pratiques

Dans chaque groupe un secrétaire note les points communs ainsi détectés.

Circuler entre les groupes en vous faisant aussi discret que possible. Ne pas intervenir sauf si vous êtes sollicité pour donner un mot ou aider à la formulation d'une idée.

La correction linguistique des énoncés n'est pas ici une priorité. Par contre, il est essentiel que tous les échanges se fassent en français. Là encore, c'est une habitude à donner dès le début, en particulier avec un public monolingue.

2. Mise en commun

Chaque groupe présente ses points communs. C'est l'occasion d'élargir les échanges entre les groupes. Par exemple, si deux groupes ont le même point commun (par exemple, ils aiment la musique classique), on peut les amener à justifier leur choix. La situation inverse permettra la même chose (exemple : un groupe aime l'opéra, un autre déteste – pourquoi ?).

Remarques

Dans ce type d'activité, l'enseignant est avant tout animateur. Il doit favoriser la prise de parole et veiller à ce que tous les apprenants participent pour qu'une cohésion s'instaure au sein du groupe-classe. L'aspect assez ludique n'empêche pas un travail lexical ou même syntaxique à partir des productions des apprenants, mais il faut éviter les corrections intempestives et systématiques qui nuiraient à l'objectif de l'activité : donner l'habitude, l'envie et le plaisir de parler en français.

11. Remue-méninges sur le cinéma français

Niveau:	B1.
Durée:	20 minutes.
Support:	Aucun.
Objectif:	Donner la parole à tout le groupe-classe pour connaître leur pré-requis culturel avant de les faire travailler sur un extrait de film*.
Matériel:	Un tableau.
Salle:	Chaises et tables mobiles pour regroupement.

* Nous vous recommandons, par exemple, une séquence de trois minutes (extrait intitulé «la drague») du film d'Eric Rohmer *Le Rayon vert* (*Le Cinéma de la Vie 1*, extraits de films d'Eric Rohmer, Didier-Hatier, 1996).

Remarques sur l'objectif

L'objectif pédagogique est en fait double: linguistique et culturel. Il doit permettre aux apprenants d'avoir une prise de parole libre qui induit la capacité langagière, soit de dire correctement le nom des réalisateurs et des acteurs connus (difficulté de mémoriser des noms propres), soit de se souvenir d'un film ou plusieurs vus en langue maternelle (par exemple un film français vu au Japon ou en Corée avec sous-titres ou doublage).

Ce travail d'oral – d'expérience – est plus riche et mieux réussi quand on demande aux étudiants de se mettre par groupe d'appartenance linguistique commune. Cela les surprend car, pour les activités habituelles de la pratique de classe, le partage de la langue française se fait plus «naturellement» s'ils sont avec des étudiants n'appartenant pas à leur groupe linguistique – le jeu linguistique est évident, le français est la seule langue possible entre eux. Ce regroupement par langue maternelle est exceptionnel et favorise le recours à leur «mémoire vécue» récente ou passée. Le partage dans la langue commune – le français – a pour but non pas de les faire régresser mais au contraire de les aider à se souvenir de leur vécu culturel en français; soit dans leur pays d'origine soit depuis qu'ils sont en France, si cela est le cas.

■ DÉROULEMENT DE L'ACTIVITÉ

1. Présentation et travail en groupe (10 minutes)

Présenter l'objectif de l'activité qui a pour but de permettre aux apprenants de dire ce qu'ils connaissent du cinéma français. Puis, leur donner cette consigne orale : « Pour une fois, mettez-vous par groupe de nationalité : ceux qui parlent japonais ensemble, ceux qui viennent des États-Unis ensemble, etc. Ceux qui sont « seuls », mettez-vous ensemble, cela facilitera votre prise de parole. Mais dans 10 minutes, vous donnerez vos résultats en français bien sûr ! Pendant 10 minutes, entre vous, chercher le nom de films ou de réalisateurs français (celui qui fait le film) ou d'acteur ou d'actrices français que vous connaissez. Je vous donne un exemple : moi, je connais le nom du réalisateur japonais Kurosawa. J'ai vu son film *Dersou Ousala* – magnifique ! – et aussi *Les Sept Samouraïs*, mais je ne me rappelle plus du nom des acteurs ! »

Les apprenants se mettent par groupe et échangent leur connaissance, soit en langue maternelle, soit en français. Passer dans chaque groupe, s'asseoir avec eux et les aider à formuler soit un titre, soit un nom…

Remarques

Si vous pensez que l'utilisation du dictionnaire peut les aider, laissez-les l'utiliser, mais exiger gentiment que leur prise de parole soit la meilleure possible. Il est quand même préférable que les étudiants laissent leur dictionnaire dans leur sac sinon cela devient une habitude… même pour un travail comme celui-ci qui fait appel à un vécu culturel concernant le cinéma français. Il teste la capacité de l'étudiant à se souvenir de mots ou même d'images appartenant à la culture d'apprentissage et cela est très bon pour lui prouver sa capacité à fixer des mots, des noms ou des images appartenant à la langue qu'il apprend. S'il ouvre son dictionnaire, celui-ci le « sauve » provisoirement mais l'handicape à long terme, un peu comme un nageur qui ne saurait nager qu'avec une bouée.

2. Mise en commun

Au tableau, les étudiants écrivent le titre des films et/ou les noms des acteurs. Exemple :

Japon	États-Unis	Allemagne	Divers (Indonésie, Philippines…)
Le dernier métro de Truffaut Catherine Deneuve	*La grande vadrouille* Louis de Funès *Amélie Poulain*	Gérard Depardieu *Les Misérables* (TV) *Les Bronzés*	Isabelle Adjani À la TV, le feuilleton…

Remarques

Le fait de faire un tableau à quatre entrées permet de visualiser les acquis culturels entre les différents groupes sans qu'il y ait de «forts» ou de «faibles», simplement des expériences culturelles différentes selon le pays d'appartenance et surtout le vécu des apprenants. Il y a des groupes très cinéphiles, d'autres non ! Cela est une manière simple également de connaître leurs goûts.

3. Les résultats

Un apprenant-rapporteur de chaque groupe ou chaque apprenant du groupe prend la parole pour donner les résultats de son groupe.

Remarques

À ce niveau d'apprentissage (B1), il est préférable de donner la parole à chaque apprenant en les appelant par leur prénom, sinon vous risquez – ce qui est préjudiciable pour l'équilibre de prise de parole du groupe – de toujours laisser s'exprimer les plus à l'aise et les autres restent en retrait, alors que si vous prenez l'habitude d'interroger après un travail de groupe tous ceux qui y ont participé, vous gérez bien votre rôle de «passeur» de parole et équilibrez les habitudes comportementales différentes selon l'origine des apprenants.

4. Les fiches pratiques

12. Décrire et situer dans l'espace

Niveau :	A2.
Durée :	30 à 40 minutes.
Support :	Quatre photos assez grandes, noir et blanc ou couleur, présentant suffisamment de personnages ou d'objets pour permettre une description intéressante (cf. *Photos Expressions* de Francis Yaiche, Hachette Éducation).
Objectif :	La description et la localisation (utilisation des prépositions et adverbes de lieu).
Matériel :	Un tableau, des copies des photos.
Salle :	Chaises et tables mobiles pour regroupement.

Remarques sur l'objectif

L'activité proposée a certes un objectif linguistique cité précédemment, mais elle est présentée de façon ludique pour motiver et faciliter la parole. En outre, elle implique la participation de tous les apprenants. C'est un jeu dans lequel l'enseignant est avant tout animateur et éventuellement arbitre.

■ DÉROULEMENT DE L'ACTIVITÉ

1. Présentation et «jeu» en groupe

Diviser la classe en deux groupes, A et B. Présenter les quatre photos retournées au groupe A qui en retourne une au sort. Les membres du groupe ont trois minutes pour observer la photo et en mémoriser les éléments, puisqu'ils vont devoir décrire avec précision ce qui figure sur cette photo.

Remettre la photo ensuite au groupe B. Les étudiants du groupe A vont, à tour de rôle, mentionner un élément de la photo. Par exemple, un étudiant peut indiquer le nombre de personnes présentes sur la photo ; un autre précisera si les personnes sont assises ou debout, puis ce qu'elles font. La description deviendra de plus en plus détaillée. Les membres du groupe B jugent si les propositions sont correctes et sont en droit d'exiger des précisions.

Chaque bonne réponse rapporte 1 point au groupe A ; chaque mauvaise réponse lui fait perdre 1 point. Une proposition énoncée à deux reprises fait également perdre 1 point, ce qui oblige les étudiants à écouter attentivement leurs camarades. Lorsque le groupe A n'a plus d'idées, les rôles sont inversés et c'est au tour du groupe B de tirer une photo puis de la décrire.

À la fin de l'activité, on totalise les points des deux équipes pour déterminer le groupe gagnant.

Remarques

Intervenir en cas de doute sur l'acceptabilité d'une proposition ainsi que pour mobiliser les connaissances lexicales des apprenants et les obliger à utiliser le «mot juste» qui sera écrit ensuite au tableau. Toutefois, pendant le jeu, les interventions ne doivent pas être trop fréquentes. En revanche, lorsqu'une équipe a terminé, les étudiants peuvent copier les mots écrits au tableau pour en faciliter la mémorisation. L'enseignant peut également exploiter un champ lexical. Par exemple, à partir de «banc», on pourra voir, ou revoir, les mots «chaise», «fauteuil», «canapé», «siège», etc.

Sur le plan grammatical, outre l'utilisation des prépositions et adverbes de lieu, cette activité fournit souvent l'occasion d'une mise au point sur l'emploi des articles définis et indéfinis. En effet, à ce niveau d'apprentissage, il est difficile de marquer la différence entre, par exemple, «à droite il y a un homme assis sur un banc» et «l'homme assis sur le banc porte un chapeau».

Enfin, chaque étudiant est amené à faire plusieurs propositions. Si l'une d'elles n'est pas assez précise ou incompréhensible, il doit s'efforcer de trouver une meilleure formulation et peut être aidé par ses coéquipiers. Ainsi, personne ne se trouve seul en situation d'échec et les solutions viennent le plus possible des apprenants, ce qui favorise à la fois une certaine solidarité et un climat de confiance.

4. Les fiches pratiques

13. Caractériser

Niveau: A2.
Durée: 40 minutes.
Support: Aucun.
Objectif: Le questionnement et la caractérisation.
Matériel: Une enveloppe contenant des papiers pliés sur lesquels figurent des noms d'objets courants.
Salle: Chaises et tables mobiles pour regroupement.

Remarques sur l'objectif

L'aspect ludique de cette activité répond à trois objectifs autres que purement linguistiques: créer un climat détendu, stimuler la prise de parole et donner la priorité aux échanges entre les apprenants. L'enseignant intervient pendant la phase de préparation pour aider les étudiants à formuler correctement leurs questions, mais il se fait discret pendant le déroulement du jeu.

■ DÉROULEMENT DE L'ACTIVITÉ

1. Explication du jeu

Diviser la classe en groupes de trois ou quatre. Présenter l'enveloppe à chaque groupe qui tire un papier au sort. Le but du jeu est de découvrir les noms d'objets détenus par les autres groupes. Pour ce faire, chaque groupe posera un maximum de dix questions qui ne peuvent induire que les réponses oui ou non. Dès qu'un groupe pense avoir trouvé l'objet, il peut faire une proposition. Toutefois, chaque groupe n'a droit qu'à deux propositions pour obliger les participants à poser suffisamment de questions, à faire des hypothèses dont ils discutent entre eux, et éviter ainsi toute suggestion individuelle et intempestive. Le groupe qui découvre l'objet le premier obtient un point.

2. Préparation du jeu

Chaque groupe doit réfléchir aux questions qu'il va poser. Il est souhaitable d'en prévoir suffisamment, car certaines pourraient être redondantes par rapport à celles des autres groupes.

Circuler entre les groupes, écouter, apporter votre aide si nécessaire et vous assurer que les questions sont correctement formulées. Les étudiants peuvent les mettre par écrit s'ils le souhaitent. Cette phase de préparation dure en moyenne 15 minutes, puis le jeu commence.

3. Le jeu

Soit 4 groupes : A, B, C et D. Les groupes B, C et D vont, à tour de rôle, poser une question au groupe A pour tenter de découvrir l'objet qu'il détient. Le groupe A ne peut répondre que par oui ou par non. Par exemple : «Est-ce que cet objet est rond ?» ou «Est-ce que cet objet est dans la cuisine ?», etc. Veiller à ce que, dans chaque groupe, les étudiants questionnent ou répondent à tour de rôle. Lorsqu'un groupe a trouvé l'objet, on recommence avec les groupes A, C et D qui interrogent le groupe B, et ainsi de suite.

Remarques

Que le public soit plurilingue ou monolingue, il est évident que tous les échanges, en particulier pendant la phase de préparation, doivent se faire en français. Quant à l'usage du dictionnaire, sans être formellement interdit, il doit être très limité. Il est préférable de donner l'habitude aux apprenants de chercher la solution entre eux ou de solliciter l'aide de l'enseignant, ce qui a le mérite de les faire formuler une demande en français.

4. Pour aller plus loin...

Des variantes sont possibles. Les noms d'objets peuvent être remplacés par des professions ou des personnes célèbres. Dans ce dernier cas, l'activité peut permettre de faire pratiquer les temps du passé selon le choix des personnalités. Il est également possible de mêler les trois – objets, professions, personnes – ce qui entraîne l'élaboration de questions très différentes et augmente l'intérêt du jeu en lui donnant un caractère plus varié.

14. Raconter la vie d'un personnage

Niveau : A2.
Durée : 1 heure.
Support : Quatre photos noir et blanc ou couleur montrant une personne (cf. *Photos Expressions* de Francis Yaiche, Hachette Éducation).
Objectif : Révision des temps du présent, du passé, de l'imparfait du futur (mode indicatif).
Matériel : Les quatre photos.
Salle : Chaises et tables mobiles pour regroupement.

▮ DÉROULEMENT DE L'ACTIVITÉ

1. Présentation de l'activité et identification des personnages (5 minutes)

Les étudiants doivent être répartis en 4 groupes (A, B, C et D).

Remettre une photo à chaque groupe. Il s'agit de donner une identité au personnage : nom, prénom, date et lieu de naissance, nationalité, profession, situation de famille, adresse. Chaque groupe choisit un « secrétaire » qui notera brièvement les informations comme sur un formulaire ; il n'est pas demandé de rédiger un texte.

Pendant cette première étape, circuler entre les groupes, écouter les échanges mais ne pas intervenir, l'activité ne présentant aucune difficulté.

2. Caractérisation des personnages (10 minutes)

Au bout de cinq minutes, on fait tourner les photos. Le groupe A passe sa photo au groupe B qui donne la sienne au groupe C, etc. Par contre, les fiches d'identité ne circulent pas.

À présent, il faut caractériser le personnage (portrait psychologique [qualités, défauts], goûts, activités, habitudes, relations avec les autres...). Là encore, le secrétaire prend simplement des notes, tout en participant bien entendu à la discussion.

3. Biographies des personnages (10 minutes)

Au bout de dix minutes, les photos tournent à nouveau pour l'étape suivante. Il s'agit maintenant de faire la biographie du personnage (son enfance, ses études, sa vie professionnelle, sa vie affective...).

4. L'avenir des personnages (10 minutes)

Les photos tournent une dernière fois. Maintenant, il faut envisager l'avenir du personnage à court et moyen termes.

5. Présentation des personnages

Reprendre les quatre photos pour passer à la présentation de chaque personnage. Remonter à l'ensemble de la classe la première photo. Le groupe A donne l'identité du personnage, en faisant bien sûr des phrases complètes, par exemple: «Cette jeune fille s'appelle... Elle est née le...». Le groupe B enchaîne avec le caractère du personnage et son mode de vie, puis le groupe C raconte son passé et le groupe D termine par ce qui va lui arriver au cours des prochaines années. Chaque groupe doit, à partir des notes prises par le secrétaire, produire un énoncé correct. Laisser les quatre groupes s'exprimer sur le premier personnage, sans intervenir.

6. Repérage des incohérences

Demander ensuite aux étudiants de relever les incohérences éventuelles. Par exemple, si la photo représente un homme assez âgé, assis seul dans un café, et que le groupe A a annoncé que le personnage était veuf tandis que le groupe B a dit qu'il aimait se promener le dimanche avec sa femme, les étudiants vont devoir se mettre d'accord sur une version cohérente. C'est là l'occasion d'échanges entre les groupes, chacun pouvant être amené à défendre sa version: «Vous voyez bien, il est assez âgé, il est seul dans un café, il s'ennuie un peu, il ne veut pas rester chez lui parce que sa femme est morte et il est seul...» À l'inverse, si le récit est cohérent, il est intéressant d'en chercher la raison: quels sont les éléments qui ont amené les étudiants à avoir la même vision du personnage?

Un autre exemple d'incohérence peut venir du choix de l'identité du personnage. Si ce dernier est français, il doit avoir un nom et un prénom français. Demander aux étudiants de citer des noms français qu'ils ont déjà rencontrés dans des méthodes, à l'occasion de lectures ou lors de séjours en France. Quelques pages d'un annuaire téléphonique peuvent être utiles pour montrer les noms les plus courants (Martin, Dupont ou Dupond, Durand...) ainsi que l'origine de certains noms (Deschamps,

4. Les fiches pratiques

Dumoulin, Boulanger...). Pour les prénoms, on peut se référer à un calendrier français, mais l'enseignant doit expliquer qu'un prénom est souvent porteur d'indices, notamment temporels et sociaux. Dans le premier cas, il y a le poids de la tradition (dans certaines régions, autrefois, le fils aîné s'appelait Pierre et la fille aînée Marie, ou bien on donnait le prénom du père ou du grand-père), mais aussi le phénomène de mode (à chaque époque correspondent certains prénoms : Catherine, Françoise, Philippe dans les années 50 à 60 ; Aurélie, Élodie, Stéphane dans les années 80...). Dans le second cas, le prénom peut refléter l'origine sociale (un prénom composé comme Charles-Henri est caractéristique d'un milieu bourgeois, ce qui n'est pas le cas pour Jean-Pierre). Ainsi le personnage de la première photo pourrait s'appeler Paul, Robert, Jean ou René (prénoms simples et un peu démodés), mais certainement pas Jérémy, Jonathan ou Kevin (prénoms étrangers actuellement à la mode). Il peut être intéressant d'inviter les étudiants à comparer ces pratiques avec celles de leur pays.

7. Correction

Reprendre ensuite les énoncés fautifs et demander à l'ensemble de la classe de les corriger (erreur sur le temps d'un verbe dans la biographie, par exemple). Lorsqu'on a obtenu une présentation cohérente et linguistiquement correcte, on passe au personnage suivant. À la fin de l'activité, l'enseignant est à même de juger si l'utilisation des temps pour parler du présent, du passé et du futur (dans un contexte simple) est acquise ou s'il doit revenir sur l'un de ces points.

8. Pour aller plus loin...

On peut passer à l'écrit et demander aux étudiants de rédiger chez eux le portrait d'une personne de leur entourage ou de se présenter eux-mêmes, en reprenant les mêmes points : identité, caractère et mode de vie, biographie et projets d'avenir.

15. Au bord de la mer

Niveau :	A2.
Durée :	30-40 minutes.
Support :	*Les vacances au bord de la mer,* chanson de Michel Jonasz.
Objectif :	Parler de son enfance, de sa jeunesse, et sensibiliser au récit au passé avec l'emploi de l'imparfait et de l'indéfini «on».
Matériel :	Un tableau, un lecteur de CD/cassettes, l'enregistrement et le texte complet de la chanson, un texte à trous.

■ DÉROULEMENT DE L'ACTIVITÉ

1. Travail individuel et mise en commun

Demander à chacun de faire une liste de 5-6 expressions à l'infinitif à propos de ce qu'ils faisaient quand ils étaient plus jeunes pendant leurs vacances. Exemples : aller au bord de la mer, se baigner, faire des promenades, aller chez ses grands-parents, jouer à cache-cache, visiter des musées… Le temps de recherche ne doit pas dépasser dix minutes.
Mise en commun au tableau.

Donner la liste à l'infinitif des expressions à l'imparfait du texte de la chanson.

2. Écoute et texte à trous

Distribuer le texte à trous et faire écouter la chanson : il y a seulement les terminaisons des verbes à l'imparfait. À l'aide de la liste des infinitifs fournie, les étudiants doivent retrouver les verbes manquants :

LES VACANCES AU BORD DE LA MER

On ……ait au bord de la mer
Avec mon père ma sœur ma mère.
On ……ait les autres gens
Comme ils ……aient leur argent.

Nous, il ......ait faire attention,
Quand on avait payé le prix d'une location,
Il ne nous ......ait pas grand chose.

Alors on ......ait les bateaux,
On ......ait des glaces à l'eau,
Les palaces, les restaurants.
On n'......ait que passer d'vant
Et on ......ait les bateaux.
Le matin on s'......ait tôt,
Sur la plage pendant des heures,
On ......ait de belles couleurs.

On ......ait au bord de la mer
Avec mon père ma sœur ma mère.
Et quand les vagues ......aient tranquilles
On ......ait la journée aux îles,
Sauf quand on ......ait déjà plus.

Alors on ......ait les bateaux,
On ......ait des glaces à l'eau,
On ......ait l'cœur un peu gros,
Mais c'......ait quand même beau.

3. Mise en commun des réponses, correction, puis réécoute de la chanson

LE TEXTE COMPLET DE LA CHANSON

On allait au bord de la mer
Avec mon père ma sœur ma mère.
On regardait les autres gens
Comme ils dépensaient leur argent.
Nous, il fallait faire attention,
Quand on avait payé le prix d'une location,
Il ne nous restait pas grand chose.

Alors on regardait les bateaux,
On suçait des glaces à l'eau,
Les palaces, les restaurants
On n'faisait que passer d'vant
Et on regardait les bateaux.

Le matin on s'réveillait tôt,
Sur la plage pendant des heures,
On prenait de belles couleurs.

On allait au bord de la mer
Avec mon père ma sœur ma mère.
Et quand les vagues étaient tranquilles,
On passait la journée aux îles,
Sauf quand on pouvait déjà plus.

Alors on regardait les bateaux,
On suçait des glaces à l'eau,
On avait l'cœur un peu gros,
Mais c'était quand même beau.

4. Transformation

Transformation à l'imparfait avec «on» de la liste d'activités rédigée par les étudiants. Lecture devant la classe afin qu'ils s'entendent utiliser l'imparfait.

5. Pour aller plus loin...

Faire chercher des expressions supplémentaires pour raconter ses vacances (l'enseignant peut en préparer à l'avance).

16. Apprécier un lieu

Niveau : A2 (avec possibilité de l'adapter à des niveaux supérieurs (cf. fin de la fiche).

Durée : 30 minutes.

Support : Aucun.

Objectif : Apprécier un lieu (la ville ou le lieu où se passe le cours) en utilisant «j'aime + article + nom» et «j'aime + infinitif». Exemples : «J'aime la Tour Eiffel. J'aime me promener sur les quais.»

Matériel : Un tableau.

Salle : Chaises et tables mobiles pour regroupement.

■ REMARQUES SUR L'OBJECTIF LINGUISTIQUE

Nous nous sommes volontairement limités à cette structure (en imposant le verbe «aimer», car l'expérience a montré que les apprenants ont envie rapidement d'exprimer des goûts de manière simple. La structure une fois acquise, il est facile d'introduire de nouveaux verbes à la place d'«aimer»). A priori, l'utilisation de «j'aime» ne pose pas de problème. Or la construction, si elle semble facile, demande une certaine vigilance. Dans le premier cas («j'aime» + article + nom; ex : «j'aime les jardins»), veiller à l'utilisation systématique de l'article défini, au genre et au nombre du nom choisi (donc au choix de l'article et à l'accord du nom). Dans le deuxième cas («j'aime» + infinitif), veiller surtout à l'emploi des verbes pronominaux (ex : «j'aime me promener»).

Il s'agit d'inviter à une utilisation réflexe d'une structure simple. C'est aussi l'occasion de rappeler qu'on n'utilise pas la préposition «de» après le verbe «aimer».

Quant au choix d'un lieu, cela permet au groupe de découvrir des monuments ou quartiers nouveaux, ou d'entendre des mots ou expressions d'opinion sur le lieu en question et donc de développer le vocabulaire. C'est une contrainte (c'est-à-dire un cadre défini) qui aide à savoir de quoi on va parler, et permet aux plus timides de s'exprimer. Le choix de la ville (ou tout autre endroit) où les cours ont lieu est une référence commune et facilite les trouvailles.

■ DÉROULEMENT DE L'ACTIVITÉ

1. Présentation de l'activité et travail en groupe (5 minutes)

Diviser la classe en groupes de trois (d'appartenance linguistique différente si possible). Présenter l'objectif qui a pour but d'apprécier le lieu où se passe le cours. Consigne orale : « Vous allez vous mettre par trois. Chacun doit demander à un autre membre du groupe de nommer deux choses qu'il aime à Paris (par exemple). Pour cela, vous devez utiliser "j'aime" dans deux constructions différentes (écrites au tableau) : une fois avec un article et un nom, et une fois avec un verbe à l'infinitif. Pendant cinq minutes, cherchez des exemples les plus personnels possibles. » Exemples (pour Paris) écrits au tableau :

1. J'aime les bâtiments anciens.
2. J'aime conduire sur les Champs-Élysées le soir.

Passer parmi eux. Certains apprenants s'assureront à cette occasion qu'ils ont bien compris la consigne (ils n'auront peut-être pas osé demander confirmation devant les autres, surtout si c'est une classe dont les membres ne se connaissent pas encore très bien).

Remarques

Si on laisse cinq minutes pour réfléchir, cela laisse le temps d'approfondir et de chercher des exemples plus intéressants.

Le fait de proposer de chercher en groupe permet d'éviter de retrouver les mêmes phrases dans le groupe. S'ils aiment la même chose, ils vont se dire que ce n'est pas une bonne idée de dire la même chose que son voisin, ou, en tout cas ils vont se poser la question pour savoir si on peut dire des choses identiques. Cela entraîne une plus grande variété de réponses.

Les inviter à répéter à voix haute leurs réponses préparées à tour de rôle dans le petit groupe. Cela leur donne de l'assurance devant le grand groupe. Tester leur phrase avec les autres leur donne confiance en eux, surtout s'ils viennent de groupes linguistiques très éloignés.

Pas de dictionnaire pour cette activité ; c'est l'échange dans le mini-groupe qui doit aider à la formulation.

2. Mise en commun

À la fin des cinq minutes, chacun donne ses deux réponses et l'enseignant les écrit au tableau (voir ci-dessous). Pas de risque ici que quelqu'un vole la parole aux autres, puisque tout le monde est invité à passer. Le tableau permet une vue d'ensemble des réponses : les phrases ainsi répétées sont bien repérables et facilitent la mémorisation (code oral ≠ code écrit).

EXEMPLE : À PARIS	ARTICLE + NOM	INFINITIF
J'aime	les boulangeries. les cafés. les bâtiments anciens. le Louvre. les Champs-Élysées. l'automne.	me promener au bord de la Seine. conduire sur les Champs-Élysées le soir. aller au café. marcher. prendre le bus.

Remarques

Il est préférable de dire aux apprenants de ne pas écrire les réponses dans leur cahier en même temps que vous : ils pourront le faire, s'ils le désirent, une fois que toutes les réponses auront été écrites au tableau.

Comme cinq minutes de préparation, ce n'est pas très long, au fur et à mesure que les réponses sont inscrites au tableau certains apprenants ont de nouvelles idées et les expriment : les laisser faire !

3. Pour aller plus loin (tous niveaux)…

Il est possible d'exploiter les réponses et de les utiliser comme prétexte pour une expression plus libre et de donner ainsi l'habitude aux apprenants de s'exprimer spontanément sans qu'il y ait nécessairement une trace écrite quelque part ou un quelconque objectif autre que la capacité (et le plaisir) à s'exprimer. Pour cela, les inviter à se poser des questions mutuellement pour développer leurs réponses.

17. La vie quotidienne:
expliquer un retard

Niveau: A2.
Durée: 15 minutes.
Support: Aucun.
Objectif: S'excuser d'un retard en racontant un événement qui en est la cause.
Matériel: Un tableau.
Salle: Chaises et tables mobiles pour regroupement.

■ DÉROULEMENT DE L'ACTIVITÉ

1. Introduction et travail en groupe (5 minutes)

Le jour où un étudiant arrive en retard, lui poser la question: «Pourquoi êtes-vous en retard?» (Tout dans le vécu de la classe est prétexte à l'expression, surtout les situations les plus banales.)

Les autres étudiants se mettent par groupe de trois ou quatre et formulent des hypothèses au passé composé: ils doivent en trouver au moins une par personne.

2. Début de prise de parole

Chaque personne propose son hypothèse au retardataire jusqu'à ce que la bonne raison soit trouvée. Ils utiliseront le «tu»: «Tu as manqué ton bus/Tu as oublié l'heure/Tu es passé à la pharmacie...»

Si la réponse est trouvée rapidement, les autres communiquent quand même au reste de la classe leurs idées. Si la réponse n'a pas été trouvée, l'exercice se poursuit en cherchant d'autres hypothèses.

3. Mise en commun

Faire un récapitulatif des propositions au tableau telles quelles. L'ensemble de la classe vérifie que les informations écrites au tableau sont grammaticalement correctes. Elles seront écrites au passé composé et non pas à l'infinitif.

18. La carte du monde

Niveau:	A2.
Durée:	30 minutes.
Support:	Une grande carte du monde accrochée au mur.
Objectif:	Utilisation du passé composé en parlant de sa vie et en utilisant des phrases-types de présentation pour parler de soi. Exemples: «Jai fait mes études à... J'ai déménagé.»
Matériel:	Un tableau.

■ DÉROULEMENT DE L'ACTIVITÉ

1. Introduction

Demander à un volontaire de venir raconter à côté de la carte les grandes lignes de sa vie à partir de sa naissance (lieu de naissance, différents lieux d'habitation, lieux des études, voyages...) Exemples: «Je suis né à Buenos Aires. J'ai habité là dix ans.»

Remarques

Le fait d'être debout en contact avec un support et pas assis derrière une table, facilite l'expression. La situation de classe, assis derrière une table, n'est pas une situation de communication orale habituelle, naturelle.

2. Prise de parole du volontaire

L'étudiant se lance, il s'approche de la carte et montre les lieux dont il parle en même temps qu'il parle. L'étudiant ne doit pas entrer dans les détails, d'une part pour que plusieurs étudiants passent le même jour, et d'autre part pour mémoriser les expressions les plus fréquentes au passé composé: «je suis né», «je suis allé», «j'ai vécu»...

Remarques

L'étudiant oublie qu'il parle parce qu'il est absorbé par son itinéraire sur la carte. Ceci le libère de la crainte habituelle ressentie en face à face avec le groupe.

L'activité permet aux autres étudiants d'affiner leur connaissance géographique. Cela permet de créer des liens entre eux, s'ils s'aperçoivent par exemple qu'ils sont allés au même endroit.

3. Mise en commun

Après le passage du volontaire, demander au groupe de repérer les verbes qui ont été utilisés. Un étudiant est au tableau pour écrire la première liste d'expressions qui sera enrichie au fur et à mesure.

4. D'autres présentateurs

Demander un nouveau volontaire et répéter l'activite. Les présentateurs suivants ne doivent pas regarder le tableau (donnant les expressions déjà employées) lors de leur présentation, ceci pour les obliger à faire un effort de mémoire immédiate.

5. Pour aller plus loin…

À partir du sixième présentateur, le groupe doit commencer à demander des précisions. L'objectif change : les apprenants questionnent tandis que celui qui est près de la carte raconte.

19. Exprimer ses sentiments

Niveau:	A2.
Durée:	45 minutes.
Support:	Un dialogue de *DELF: Entraînez-vous, 450 activités*, (dialogue n° 32, page 23. Épreuve orale 2), Clé international, 1997.
Objectif:	Exprimer ses sentiments; être capable de formuler une demande et une plainte, et d'insister.
Matériel:	Un tableau, un lecteur de CD/cassettes, l'enregistrement et la transcription du dialogue.
Salle:	Chaises et tables mobiles pour regroupement.

▉ DÉROULEMENT DE L'ACTIVITÉ

1. Introduction: discussion

Faciliter la compréhension du document avant l'écoute par une discussion sur le tabac amorcée par une série de questions. Exemples: «Dans votre pays, est-il permis ou interdit de fumer dans les lieux publics: cafés, restaurants, gares, aéroports? Y a-t-il des campagnes anti-tabac? Pourquoi le tabac est-il nuisible à la santé? Quelles maladies celui-ci peut-il provoquer?»

Les réponses des étudiants permettront d'écrire au tableau du lexique, des expressions, ce qui facilite la compréhension auditive. Exemples: «le tabagisme, le tabagisme passif, les maladies pulmonaires, l'asthme, la fumée, allumer une cigarette, éteindre une cigarette, un mégot.»

2. Compréhension orale (20 minutes)

Écoute globale du document entier sans questionnaire. Demander aux étudiants de repérer les deux personnes qui parlent, la situation, le ton du client et l'objet de sa plainte. Les apprenants prennent des notes à cette étape de l'activité.

La transcription du dialogue

– Monsieur, s'il vous plaît!
– Oui? Que se passe-t-il?
– Écoutez, ce n'est pas possible de continuer de déjeuner.

– Pourquoi ?
– Nous ne supportons pas la fumée. S'il vous plaît, dites à ce monsieur de la table là-bas d'éteindre son cigare.
– Mais il va bientôt partir…
– Alors demandez-lui d'aller fumer au salon !
– C'est difficile… je ne peux pas…
– Ah, vous croyez ?
– Mais il n'y a pas beaucoup de fumée !
– Pour vous peut-être. Mais s'il reste, je vais avoir une crise d'asthme !
– Bon, je vais essayer…
– Faites-le. De toute façon, c'est interdit de fumer ici. Vous le savez bien ! Vous connaissez la loi, non ?
– Oui…
– Il n'y a pas une autre salle ici ? Pour fumeurs ?
– Non.
– Alors il doit s'arrêter. C'est à vous de lui dire.
– Vous savez, c'est un bon client… un habitué…
– Bon. Si c'est comme ça, nous partons.
– Non, non. C'est bon. J'ai compris. Je vais lui servir son dessert au salon.
– Merci. Je pense que c'est normal ! Nous, nous commençons à peine à déjeuner !

Distribuer les questions et vérifier auprès des étudiants si elles sont comprises.

A. Écoutez l'enregistrement. Dites si ces affirmations sont vraies ou fausses.

1. Le client appelle le serveur	V	F
2. Le client est très aimable avec le serveur.	V	F
3. Le client dit qu'il va partir.	V	F
4. Le serveur trouve qu'il y a beaucoup de fumée.	V	F
5. Le client parle de sa santé.	V	F
6. Il est permis de fumer.	V	F
7. Le client qui fume vient souvent dans ce restaurant.	V	F
8. Le client qui parle au serveur finit de déjeuner.	V	F

B. Écoutez une autre fois l'enregistrement et répondez aux questions.
1. Pourquoi le client dit-il qu'il ne peut plus continuer son déjeuner ?
2. Est-ce que le client de l'autre table fume une cigarette ?

4. Les fiches pratiques

3. Est-ce que le serveur accepte de parler au client qui fume?
4. Qu'est-ce que le serveur répond?
5. Que propose le client?
6. Est-ce que le serveur accepte cette proposition?
7. Est-ce que le client insiste?
8. Finalement, que va faire le serveur?
9. Est-ce que le client remercie le serveur?
10. Est-ce qu'il trouve normal d'obtenir ce qu'il désire?

Passer le document trois fois de suite avec une pause de plusieurs minutes entre chaque écoute, dans la mesure ou il y a deux parties dans le questionnaire : d'abord une distinction entre des affirmations vraies et fausses, puis un questionnaire plus précis et plus détaillé.

Les étudiants font ce travail individuellement, ce qui leur permet de comprendre le document par étapes (ce qui les sécurise). Chacun peut répondre au moins à une des étapes du questionnaire.

3. Mise en commun

Demander aux étudiants de se mettre deux par deux pour comparer et compléter leurs réponses. Puis, mise en commun des réponses. Distribuer la transcription du document à ce moment-là, ou bien seulement à la fin du cours.

4. Préparation à la production orale (10 minutes)

Demander aux étudiants de travailler deux par deux pour préparer un jeu de rôle qui est une reprise de la même situation et des mêmes protagonistes : au restaurant, un(e) client(e) et le serveur ou la serveuse. Ce qui change sera le motif de la plainte : le service n'est pas assez rapide ou bien, les plats apportés ne sont pas assez chauds… Cette phase de production permet aux étudiants de reprendre les expressions utilisées dans le dialogue initial, telles que «Écoutez, ce n'est pas possible de…», «demandez au chef de…», «c'est difficile, je ne peux pas», «si c'est comme ça, nous partons», «je pense que c'est normal…»

Demander aussi aux étudiants de préciser l'âge du client ou de la cliente, le type de restaurant où se passe la scène, paramètres qui aident à varier les productions des apprenants.

5. Expression des étudiants et correction interactive (15 minutes)

À l'issue de ce temps de préparation, écouter les dialogues des étudiants. Noter les erreurs pour faire ensuite une correction en interaction avec eux.

20. Une rencontre surprise

Niveau:	A2.
Durée:	45 minutes.
Support:	Un dialogue de *Café crème 1* (Unité 13, page 126), Hachette, 1997.
Objectif:	Parler de sa vie actuelle et du passé, demander des nouvelles. L'utilisation du présent, de l'imparfait et du passé composé. Les indicateurs temporels «il y a», «depuis».
Matériel:	Un tableau, un lecteur de CD/cassettes, l'enregistrement du dialogue.

Remarques sur l'objectif

Cette fiche correspond à une pratique de communication que les étudiants ont besoin d'acquérir très vite, à savoir, parler de ce qu'ils font dans la vie, de leur profession, de leur lieu d'habitation, mais aussi de leur passé proche ou plus lointain, avec un ami.

■ DÉROULEMENT DE L'ACTIVITÉ

1. Découverte et compréhension du document (15 minutes)

Écrire au tableau des questions afin de guider la compréhension des élèves:

1. Où Alain habite-t-il maintenant?
2. Pourquoi est-il à Paris?
3. Est-il journaliste?
4. Où Alain et Régine se sont-ils rencontrés?
5. Quelle est sa situation familiale?
6. Pourquoi a-t-il quitté Paris pour Montpellier?
7. Ses goûts ont-ils changé?
8. Régine connaît-elle la région où vit maintenant Alain?
9. Que fait-elle?
10. Est-elle mariée?

Passer le document en entier; il est court et ne nécessite pas d'explication de vocabulaire préalable.

LA TRANSCRIPTION DU DIALOGUE

Régine : Alain !

Alain : Régine ! Quelle surprise !

Régine : Tu habites toujours à Paris ?

Alain : Non, j'habite à Montpellier maintenant. Je suis à Paris pour mon travail. Je viens assez souvent.

Régine : Tu es journaliste, c'est ça ? Quand je t'ai connu à la fac, tu rêvais d'être grand reporter.

Alain : Eh bien non ! J'ai commencé à faire du journalisme, mais j'ai arrêté il y a deux ans. Je suis marié et je suis papa.

Régine : Ah, tu es marié ?

Alain : Oui, et ma femme est de Montpellier. Elle ne voulait pas quitter sa région pour vivre à Paris. Alors, je suis parti là-bas. On habite à la campagne, à dix kilomètres du centre.

Régine : À la campagne, toi ! Mais tu détestais la campagne !

Alain : Oui, c'est vrai. Mais je suis tombé amoureux de la région.

Régine : Et de ta femme !

Alain : Tu connais le Midi ?

Régine : Non, tu sais que je ne voyage pas.

Alain : Et toi, qu'est-ce que tu fais ?

Régine : Tu me connais. Je n'ai pas changé. Je suis toujours libraire et célibataire.

Demander aux étudiants quelles expressions peuvent être utilisées pour marquer la surprise (exemples : «Quelle surprise !» [dans le dialogue], «Ça alors !», «C'est incroyable !», «C'est bien toi ?...»

Passer une deuxième fois l'enregistrement, laisser un moment aux apprenants, puis leur demander de répondre aux questions. Veiller à ce que les temps utilisés soient corrects : le présent pour la situation actuelle et l'habitude dans le présent; le passé composé pour les événements, les changements; l'imparfait pour les circonstances, les situations passées. Veiller à l'emploi correct de «il y a».

2. Préparation du jeu de rôles à deux (10 minutes)

L'étape suivante est celle de la reprise du dialogue. Proposer aux étudiants de se mettre par deux pour préparer un dialogue. Présenter un canevas de jeu de rôles accompagné de contraintes :

Canevas

Deux amis A et B. A visite un musée, Dans une salle, il marche sur le pied de quelqu'un, il s'excuse et surprise ! A reconnaît une amie ou un ami qu'il n'a pas vu(e) depuis plusieurs années.
A exprime sa surprise.
B fait la même chose et dit à A qu'il ou elle a beaucoup changé (coiffure, vêtements…)
A trouve au contraire que B n'a pas changé et lui demande s'il habite dans la même ville qu'avant et s'il a la même profession.
B répond qu'il ou elle a changé de ville et de travail, de situation familiale aussi.
A demande s'il aime toujours… S'il fait toujours…
B répond, dit quels changements ont eu lieu dans sa vie et ce qu'il fait maintenant et pose les mêmes questions à A.
A répond.
B invite A à aller boire quelque chose dans un café.
A accepte volontiers.

Contraintes

L'expression de la surprise
Ça alors ! C'est bien toi ? C'est incroyable !
Les expressions pour parler de sa vie, des changements
Changer de… faire toujours, il y a, depuis, pendant, se marier, être marié(e), commencer, arrêter de, continuer à…
L'utilisation des temps
Le présent, l'imparfait, le passé composé.

3. Écoute de chaque dialogue et correction des erreurs (20 minutes)

Demander aux étudiants de noter les erreurs qu'ils auront entendues, comme vous le faites vous-même, dans le même temps. Puis, la correction des principales erreurs se fait en interaction.

21. À l'agence pour l'emploi

Niveau : A2-B1.
Durée : 1 heure.
Support : Un dialogue de *Café crème 1* (Unité 9, page 88), Hachette 1997.
Objectif : Se présenter à un entretien en vue d'un travail.
Matériel : Un tableau, un lecteur de CD/cassettes, l'enregistrement du dialogue, des photocopies des questions de compréhension (phase 3).
Salle : Chaises et tables mobiles pour regroupement.

Remarques sur l'objectif

Le but de l'activité est de savoir répondre à des questions et en poser au cours d'un entretien d'embauche, un objectif à la fois linguistique (lexique de l'emploi, utilisation des connecteurs temporels « depuis », « il y a », « pendant », ainsi que l'emploi du passé composé et de l'imparfait), fonctionnel (réagir au cours d'un rendez-vous quand on est à la recherche d'un travail) et culturel (un élargissement de cette thématique sur le travail en France).

Cette activité de compréhension puis de production orale en deux ou trois étapes permet d'aller du culturel (1er remue-méninges) vers le fonctionnel via le linguistique avant de retourner vers le culturel avec de nouveaux moyens d'expression appréhendés en situation et utilisés en situation (jeu de rôles).

■ DÉROULEMENT DE L'ACTIVITÉ

1. Remue-méninges

Demander aux étudiants quels sont les mots qui leur viennent à l'esprit quand on parle du travail. Un étudiant vient écrire au tableau une dizaine de mots trouvés par ses camarades. Si certains sont inconnus de certains étudiants, on cherche ensemble le sens de ceux-ci. Exemple :

la formation
le salaire
un stage
le chômage
une expérience
un employé
le travail
un patron
une entreprise
un poste
une annonce

2. Écoute de l'enregistrement

Faire écouter le dialogue.

LA TRANSCRIPTION DU DIALOGUE

(A = le demandeur d'emploi, B = l'employé de l'ANPE)

A : Je voudrais des informations sur l'annonce n° 45.

B : Oui… *(il interrrroge son ordinateur)* C'est votre premier emploi ?

A : Non. J'ai déjà une expérience professionnelle. J'ai travaillé à Informatique Centre comme technicien pendant trois mois, de mars à juin.

B : Et pourquoi est-ce que vous êtes parti ?

A : Parce que l'entreprise a fermé en juin, à cause de problèmes financiers.

B : Vous avez travaillé jusqu'en juin. Vous êtes donc au chômage depuis deux mois. Quel âge avez-vous ?

A : 28 ans.

B : Vous parlez des langues étrangères ?

A : Oui, je parle assez bien l'anglais, et je comprends l'allemand.

B : Vous aimez voyager ?

A : Oui, pourquoi ?

B : L'annonce 45, c'est une entreprise de 10 salariés. Elle cherche un jeune de moins de trente ans, pour visiter ses clients en France et à l'étranger. Ça vous intéresse ?

A : Ça m'intéresse, bien sûr ! Quel est le salaire ?

B : Entre 8 000 et 10 000 francs par mois, avec un treizième mois.

A : Bon. Qu'est-ce que je dois faire maintenant ?

4. Les fiches pratiques

> B : Il faut envoyer votre curriculum vitae à cette adresse : Loire Com, 25 rue de la République, 45000 Orléans. Envoyez votre lettre à l'attention de monsieur Berger.

Poser les questions suivantes pour tester la compréhension globale du document :
- Quelle est la situation ?
- Quelles sont les deux personnes qui parlent ?
- Où se trouvent-elles ?

Réponses attendues :
- C'est un rendez-vous entre un homme qui cherche un travail [un demandeur d'emploi] et un employé de l'Agence nationale pour l'emploi. Elles se trouvent dans un bureau, en face à face.

3. Deuxième écoute

Faire écouter une deuxième fois le dialogue. Distribuer une feuille avec des questions auxquelles répondront les apprenants. Ces questions ont pour but d'avoir accès à une compréhension plus détaillée du document sonore et de marquer les étapes du dialogue. Laisser aux étudiants un peu de temps pour les comprendre et leur demander d'y répondre en travaillant par groupes de deux :

> 1. Est-ce que cet homme a déjà travaillé ?
> 2. Qu'a-t-il fait comme travail ?
> 3. Depuis combien de temps est-il au chômage ?
> 4. Quel âge a-t-il ?
> 5. Est-ce qu'il parle des langues étrangères ?
> 6. Aime-t-il voyager ?
> 7. Quel travail lui propose l'employé ?
> 8. Sait-il combien il va gagner ?
> 9. Que doit-il faire maintenant ?

4. Mise en commun

Consigne orale : « Quand vous aurez répondu aux questions, comparez et complétez vos réponses avec les autres groupes. Puis nous corrigerons ensemble. »

Remarques

Il s'agit, à cette étape, de vérifiier si l'ensemble des étudiants a bien compris l'enregistrement de façon à faciliter le jeu de rôles qui va suivre.

Mettre, si besoin est, au tableau le schéma de la situation entendue :

> – une demande d'informations sur une annonce ;
> – les questions de l'employé de l'ANPE ;
> – les réponses du demandeur d'emploi ;
> – la proposition de travail ;
> – l'acceptation du demandeur ;
> – la marche à suivre.

5. Préparation du jeu de rôles (10 minutes)

L'objectif du jeu de rôles est l'expression orale en situation de tous les étudiants dans un dialogue afin de réemployer le vocabulaire, les temps utilisés, les connecteurs temporels, le ton et les pronoms (le vouvoiement est nécessaire). Demander aux étudiants de se mettre par deux et préparer oralement (sans écrire), un dialogue sur le modèle de celui qu'ils ont entendu, mais en changeant quelques points :
– le travail qu'a fait cet homme avant d'être au chômage ;
– les raisons de son départ :
– la proposition de travail faite par le conseiller ANPE.

6. Écoute des dialogues (15 minutes +)

Écoute de chaque dialogue. Les auditeurs essayent de repérer les erreurs commises par leurs camarades pour pouvoir les corriger ensemble après les avoir écoutés.

Remarques

Pendant l'écoute, noter les principales erreurs en les regroupant (phonétique, ton et expressivité, morpho-syntaxe, lexique). Demander aux élèves d'identifier les erreurs et de les corriger. La durée d'écoute des dialogues produits par les étudiants est très variable (15 minutes ou plus) si l'enseignant décide d'écouter tous les dialogues ou choisit d'en écouter seulement quelques-uns.

7. Pour aller plus loin...

L'objectif ici est culturel. La parole est donnée à toute la classe ; les étudiants parlent du travail dans leur pays : les conditions de travail, les horaires, les salaires, les difficultés, le chômage, les débouchés après les études... Amorcer la discussion en posant quelques questions ou en parlant de la situation en France.

4. Les fiches pratiques

22. On va au ciné?

Niveau:	A2-B1.
Durée:	45 minutes à 1heure.
Support:	Un dialogue de *Café crème 2* (Unité 9, page 88), Hachette, 1997.
Objectif:	Donner son point de vue et le justifier, l'emploi de l'indicatif et du subjonctif, l'expression de la cause, les formules pour proposer quelque chose à quelqu'un.
Matériel:	Un tableau, un lecteur de CD/cassettes, l'enregistrement et la transcription du dialogue, des photocopies des questions de compréhension orale (phase 2).
Salle:	Chaises et tables mobiles pour regroupement.

■ DÉROULEMENT DE L'ACTIVITÉ

1. Remue-méninges

Poser quelques questions aux étudiants sur le cinéma, s'ils aiment ou non y aller, seuls ou avec des amis, en famille. Demander si aller au cinéma est cher, s'ils regardent souvent des DVD, afin d'introduire le thème de l'interview qu'ils vont entendre.

2. Écoutes du document sonore

Écrire des questions au tableau pour tester la compréhension globale:

1. Qui pose les questions?
2. À qui?
3. Combien de personnes sont interrogées?
4. Où se passe la scène?

Passer le document sonore une fois en entier corriger les questions de compréhension globale. Distribuer ensuite des questions de compréhension orale aux étudiants:

1. Où se trouve la journaliste?
2. Pourquoi la première personne va-t-elle au cinéma?

3. La deuxième personne pense-t-elle que c'est bien d'aller au cinéma avec des copains ?
4. Pourquoi va-t-on moins au cinéma qu'avant ?
5. Pourquoi la quatrième personne préfère-t-elle aller au cinéma ?
6. Quel genre de film aime la cinquième personne ?
7. Va-t-elle souvent au cinéma ?
8. Quelle conclusion la journaliste tire-t-elle de ces interviews ?

Vérifier que les questions ont été bien comprises avant de passer deux ou trois fois l'enregistrement.

3. Mise en commun

Demander aux étudiants de se mettre par groupes de deux ou trois pour qu'ils complètent leurs réponses ensemble, avant de passer à une correction collective.

4. Lecture, réflexion et discussion

Distribuer ensuite la transcription de l'enregistrement :

LA TRANSCRIPTION DU DIALOGUE

(J = la journaliste, A = Personne A, B = Personne B, etc.)
J : Je suis sur les grands boulevards. Les gens font la queue devant les cinémas. Monsieur, pourquoi allez-vous au cinéma ?
A : Les loisirs, pour moi, c'est le cinéma. Je vais au cinéma pour rire, pour pleurer, pour partager mes sentiments avec des inconnus, avec des gens comme moi. Je m'étonne toujours que beaucoup préfèrent rester assis seuls devant la télévision.
J : Et vous ?
B : C'est la sortie idéale quand on est avec des copains, mais j'aime la télé aussi. C'est moins cher.
J : C'est parce que le cinéma est trop cher que les gens y vont de moins en moins ?
C : Je ne crois pas que ce soit la raison, et aujourd'hui, avec toutes les réductions, le cinéma ne coûte pas trop cher.
J : Madame, à votre avis, pourquoi est-ce qu'on va moins au cinéma qu'avant ?
D : Peut-être par paresse. Avec la télévision et le magnétoscope, c'est beaucoup plus simple : il n'y a pas d'horaire, il y a beaucoup plus de choix… Personnellement, je préfère le cinéma, l'ambiance de la salle, la lumière qui s'éteint, la musique, les premières

images sur l'écran. C'est magique. Et pendant deux heures, j'oublie tout.

J: Et vous?

E: J'adore les films comiques, et je regrette que les gens n'aillent pas plus souvent voir les nouveaux films. Ça leur ferait du bien, ils seraient moins tristes. À la télé, ce n'est pas pareil, et on ne s'amuse pas autant. Il faut que j'aille au cinéma au moins une fois par mois.

J: Est-ce qu'il est important pour vous qu'un film soit français?

F: Avant tout, il est important que le film soit bon! J'aime bien le cinéma français, bien sûr, et nous avons de grands acteurs, mais j'aime aussi les films américains ou italiens, par exemple.

J: En tout cas, si la télévision se porte bien, le cinéma n'est pas mort! C'était Sophie, en direct des grands boulevards. À vous les studios.

Faire lire la transcription par les étudiants et leur faire retrouver dans le document les différents sentiments et points de vue exprimés par les spectateurs: «Je m'étonne que beaucoup préfèrent rester assis seuls devant la télévision», «Je ne crois pas que ce soit la raison…», «je regrette que les gens n'aillent pas plus souvent voir les nouveaux films», «Il faut que j'aille au cinéma au moins une fois par mois», «Il est important que le film soit bon!»

Faire remarquer l'utilisation du subjonctif et demander aux étudiants ce qui les étonne, ce qu'ils regrettent, ce qu'il faut faire, ce qui est important dans le choix d'un film afin de leur faire réutiliser ce mode dans leurs réponses.

Dans un deuxième temps, demander aux étudiants de relever l'expression de la cause ou son absence: «Les loisirs, pour moi, c'est le cinéma», «c'est la sortie idéale quand on est avec des copains», «peut-être par paresse», «avec la télévision et le magnétoscope…»

Proposer aux étudiants de trouver d'autres moyens d'exprimer la cause. Exemple: «comme», «c'est la raison pour laquelle», «grâce à»…

5. Préparation et écoute de jeux de rôles

Les étudiants se mettent par deux avec un programme de cinéma. A discute avec B, il lui propose d'aller voir un film, il lui propose un titre. B lui demande quel est le genre du film, quels en sont les acteurs, demande des précisions. B, lui, choisit un autre film et donne ses arguments. Finalement ils se mettent d'accord et décident de l'heure de la séance à laquelle ils vont aller. (Temps de préparation: 10 minutes.)

Si cela vous paraît nécessaire, demander quels sont les moyens pour proposer, inviter quelqu'un à aller au cinéma. Ce sont des formules telles que : «On pourrait aller voir…», «Et si on allait voir…», «J'aimerais bien voir le dernier film de…», «Ça te dirait d'aller voir… ?»

Pendant l'écoute des dialogues, noter les erreurs qui auront été commises pour les corriger ensuite avec toute la classe.

6. Pour aller plus loin…

On peut aussi développer une autre activité qui se fera à l'extérieur de la classe, du moins en partie. Il s'agit de proposer aux étudiants d'élaborer un questionnaire sur le cinéma en vue d'un sondage à réaliser auprès de leurs amis, ou d'inconnus rencontrés dans la rue, personnes du même âge ou non ; ces modalités seront à définir avec les étudiants. Exemples :

1. Allez-vous souvent au cinéma ? Combien de fois par mois ?
2. Allez-vous au cinéma seul(e), en famille, avec des amis ?
3. Lisez-vous une critique du film pour le choisir ou avant d'aller le voir ?
4. Quel genre de film allez-vous voir de préférence ? Des films drôles, des films d'aventures, de films psychologiques, des histoires d'amour, des films historiques, des dessins animés ?
5. Quels acteurs, actrices français connaissez-vous ?
6. Regardez-vous souvent des DVD ?

Le questionnaire une fois élaboré devra être proposé à cinq personnes. Les étudiants noteront l'âge de la personne qui répondra à leur questionnaire de manière à pouvoir mieux en rendre compte au cours suivant.

Remarques

Ce travail permet une communication à l'extérieur de la classe et donne confiance aux étudiants. Ceux-ci notent les réponses aux questions et en font une synthèse pour le cours suivant, ce qui débouche sur un autre mode d'expression : faire le compte-rendu d'un sondage réalisé par eux, donc une prise de parole devant tout le groupe, s'appuyant sur des réponses qu'ils auront recueillies, dans un objectif précis. On ne saurait assez encourager les étudiants à prendre ce genre d'initiative autour d'un projet commun ; ceci suscite une grande motivation ; même les plus timides se sentent entraînés dans le projet.

Au cours suivant, le compte-rendu se fera à tour de rôle. Les étudiants peuvent noter au tableau les résultats du sondage et les commenter en fonction de leur propre expérience.

4. Les fiches pratiques

23. On joue à être
un personnage du film

Niveau: B1-B2
Durée: 1h30.
Support: Les premières séquences de *Au revoir les enfants*, film de Louis Malle, 1987.
Objectif: Comprendre une séquence de film, décrire une situation, caractériser les personnages et devenir un des personnages du film qui va prendre la parole. Il faut raconter une séquence du film comme s'il s'agissait d'un souvenir d'enfance en utilisant les temps du passé (passé composé, imparfait et des connecteurs temporels).
Matériel: Un tableau, un magnétoscope ou un lecteur de DVD.
Salle: Chaises et tables mobiles pour regroupement.

Remarques sur le support

Le film est inspiré de l'autobiographie de Louis Malle et dure 1h43 minutes. L'histoire se passe entièrement dans un collège religieux pendant la Seconde Guerre mondiale. Les personnages principaux sont deux enfants: Julien Quentin et Jean Bonnet. Nous sommes en 1944. Le scénario est édité par Gallimard (Folio, 1987).

Remarques sur l'objectif

Cette activité a également un objectif culturel: aborder un moment de l'histoire de la France, les habitudes des Français à cette époque-là (1944), et plus précisément pendant ce temps de guerre, mais que l'on découvre à travers les yeux de deux enfants au seuil de l'adolescence.

■ DÉROULEMENT DE L'ACTIVITÉ

1. Visionnement de la première séquence

Passer une ou deux fois la première séquence (qui se passe à la gare), et la première fois sans le son. Demander aux étudiants de prendre des notes après avoir écrit quelques questions au tableau pour vérifier la compréhension globale:

Où se passe la scène?
Cela se passe-t-il aujourd'hui ou à une autre époque? Qu'est-ce qui
vous le montre?
Quels sont les personnages?
Que font-ils?
Comment sont-ils habillés?

Après le second visionnement, avec le son cette fois, demander aux
apprenants de remarquer si tout ce que l'on entend est en français (on
entend que les départs des trains et certaines informations sont donnés
en allemand).

Donner à ce moment-là des précisions sur les personnages (Julien
Quentin, sa mère et son frère François, plus âgé que Julien) ainsi que sur
l'époque (l'histoire se passe pendant la Seconde Guerre mondiale, sur le
quai d'une gare à Paris. La France est occupée par l'Allemagne nazie).

Oralement, par un jeu de questions/réponses, écrire au tableau les mots
qui permettent de répondre à ces premières questions. Exemples:

un uniforme, un béret, une cape, un short, un sac à dos, un manteau
de fourrure, se dire au revoir, prendre dans ses bras, pleurer, être pen-
sionnaire, quitter quelqu'un

2. Visionnement de la deuxième séquence (dans le train, l'arrivée au collège, l'arrivée du nouvel élève)

Passer deux ou trois fois cette deuxième séquence avec le son et demander
cette fois aux apprenants de répondre à une série de questions écrites. Ils
se mettront par groupes de trois ou quatre pour cela:

1. Que fait Julien pendant le voyage en train? (Il reste le nez collé à
la fenêtre, il est pensif Noël.)
2. Comment se sent-il? (Il se sent triste, c'est un jeune garçon.)
3. Est-ce que les enfants vont seuls au collège? (Non, ils sont accompagnés par des prêtres qui sont venus les chercher à la gare.)
4. Pourquoi chantent-ils? (On les fait chanter pour leur donner du
courage, pour leur faire oublier un peu la tristesse d'avoir quitté
leur famille.)
5. Où vont-ils dormir? (Dans un dortoir, tous ensemble.)

4. Les fiches pratiques

6. Que font-ils quand ils arrivent ? (Ils rangent leurs affaires dans leur placard, ils chahutent, ils se mettent en pyjama pour la nuit.)
7. Pourquoi arrêtent-ils de faire du bruit ? (Parce qu'ils ont entendu le directeur arriver avec un nouvel élève.)
8. Est-ce que les enfants accueillent bien leur nouveau camarade ? (Non, Ils se moquent de son nom de famille [Bonnet] et ils lui lancent des oreillers.)
9. Pourquoi ? (Simplement parce qu'il est nouveau et qu'il vient rompre l'équilibre d'un groupe déjà constitué et parce qu'on ne le connaît pas.)

Demander à un étudiant de chaque groupe de donner les réponses à deux ou trois questions et aux autres groupes de compléter ou de dire s'ils sont d'accord avec les réponses proposées. Le professeur, pendant ce temps, note les erreurs avant de demander aux étudiants de les corriger eux-mêmes s'ils le peuvent. Sinon, ce sera à lui de le faire. C'est une phase d'acquisition ou de révision du vocabulaire de cette séquence qui permet de passer à une autre activité ensuite.

3. Prise de parole

Demander aux étudiants de choisir l'un des deux protagonistes princi-paux : Julien Quentin ou Jean Bonnet, de «jouer» leur personnage et de raconter ce qui s'est passé ce jour-là.

Après ce temps de préparation (15 minutes), et selon le temps dis-ponible, demander à quatre élèves de prendre la parole et de raconter ce souvenir. Pendant ce temps, demander aux autres de noter d'éventuelles erreurs qui seront ensuite corrigées de façon interactive.

Exemples de prises de parole

Julien : C'était la fin des vacances de Noël que j'avais passées à Paris avec ma mère et mon frère. Le matin, j'avais quitté ma mère sur le quai de la gare et nous avions pris le train pour rentrer au collège. Mon frère semblait content d'y retourner, mais moi, j'étais très triste, je ne voulais pas pleurer devant maman, mais je n'ai pas pu retenir mes larmes. Dans le train, je suis resté devant la fenêtre, je ne pensais à rien, je regardais le paysage, mais je n'avais pas envie de retrouver le collège où il faisait froid, où nous n'avions pas assez à manger et où je n'avais pas vraiment d'ami. Quand nous sommes arrivés au collège, il était tard, on est allés tout de suite dans le dortoir, on a rangé nos affaires et on s'est mis en pyjama puis le directeur nous a présenté un nouveau. Il s'appelait Jean Bonnet. On l'a placé à côté de moi dans le dortoir et j'ai remarqué qu'il avait emporté beaucoup de livres. Je me suis dit qu'il aimait lire, comme moi.

Jean : Après les vacances de Noël, je suis arrivé dans un nouveau collège. C'était dur pour moi de changer d'école. Quand je suis arrivé, j'étais fatigué et je me sentais seul. Heureusement, le directeur a été gentil avec moi, il est venu dans le dortoir où se trouvaient les autres et il m'a présenté à mes nouveaux camarades, mais ils se sont tout de suite moqués de moi, de mon nom, et ils m'ont lancé des oreillers. Sympa comme accueil ! Le garçon qui a son lit à côté du mien n'est pas gentil non plus, il a fouillé dans ma valise et a lu les titres des livres que j'avais emportés, c'est la seule chose qui a semblé l'intéresser. Puis, on a éteint les lumières et, malgré ma fatigue, j'ai mis beaucoup de temps à m'endormir.

24. J'ai perdu mon portefeuille!

Niveau: A2-B1

Durée: 1 heure à 1h30.

Support: Un dialogue de *DELF, 450 activités,* (A1, épreuve orale, n° 33, p. 23), Clé international, 1997.

Objectif: Pouvoir déclarer la perte d'un objet; localiser dans l'espace et dans le temps, décrire. L'emploi du présent, de l'imparfait et du passé composé; l'emploi des adjectifs possessifs.

Matériel: Un lecteur de CD/cassettes, l'enregistrement du dialogue, des photocopies des questions de compréhension (phase 3).

Salle: Chaises et tables mobiles pour regroupement.

■ DÉROULEMENT DE L'ACTIVITÉ

1. Mise en condition

Avant l'écoute du document, on facilite l'accès à la compréhension en posant des questions qui font appel au vécu des apprenants:
– Avez-vous déjà perdu quelque chose?
– Dans ce cas, que faut-il faire?
– Est-ce que vous retournez à l'endroit où vous avez perdu cet objet?
– Si vous avez perdu votre sac, comment le décrivez-vous?
– Quelles sont les précisions importantes à donner?

Ceci permet d'évoquer le vocabulaire nécessaire à la compréhension de manière à faciliter l'écoute du document. Le vocabulaire trouvé par les étudiants peut être: «une déclaration…», «…à la police», «…au commissariat», «dire où on a perdu l'objet», «…comment il est», «donner des détails: la forme, la couleur…»

On peut procéder également par association de mots en demandant à quelqu'un de décrire son sac: la forme, la matière, la couleur, ce qu'il contient.

La compréhension de ce document a pour objectif un savoir-faire, il faut en tenir compte dans la préparation.

2. Phase de découverte (première écoute)

La première écoute a pour objectif une écoute globale pour découvrir le sens général du dialogue. Passer l'enregistrement et poser les questions suivantes :
– Quelles sont les deux personnes qui parlent ? (Un monsieur qui a perdu son portefeuille et un policier.)
– Quelle est la situation ? (Le monsieur fait une déclaration de perte au commissariat de police. L'agent lui demande si c'est une perte ou un vol.)

LA TRANSCRIPTION DU DIALOGUE

– Monsieur ? C'est pour quoi ?
– Voilà. J'ai perdu mon portefeuille dans la rue. On m'a dit de venir ici.
– Oui, c'est bien ce qu'il faut faire… Vous êtes sûr de l'avoir perdu ? On ne vous l'a pas volé ?
– Non, je ne crois pas. Au restaurant, j'ai payé avec, mais au bureau de tabac, quand j'ai voulu payer mes cigarettes, plus de portefeuille !
– Vous ne l'avez pas oublié au restaurant ?
– Non, j'y suis retourné. Ils n'ont rien trouvé !
– Et dans la rue ? Vous avez regardé ?
– Oui, j'ai refait le même chemin… rien !
– Vous ne croyez pas qu'on l'a volé ?
– Je ne pense pas. À une heure et demie il n'y a pas beaucoup de monde dans la rue… Il a dû tomber de ma poche !
– Bon. Je vais voir si quelqu'un l'a apporté… j'ai plusieurs portefeuilles ici. Mais avant, dites-moi comment il est. Je dois vérifier, vous comprenez ?
– Il est en cuir. Noir. Avec deux parties ; pour la monnaie et les billets. Mais il n'y avait pas de papiers d'identité.
– Rien d'autre ?
– Ah si ! La photo de ma femme et de ma fille.
– C'est tout ?
– Je… Oh, j'oubliais ! Il y a mes initiales dessus. Mon nom est Schmidt. Pierre Schmidt. Il y a P.S. dessus.
– Attendez. Je regarde. Oui… Je crois que c'est ça. Ah ! Vous avez déjeuné où ?
– À la Brasserie Royale.
– Alors c'est bien votre portefeuille. Il y a l'addition dedans. Voilà votre portefeuille, monsieur. Quelqu'un l'a donné à un agent tout à l'heure.
– Merci bien ! Au revoir, monsieur !

4. Les fiches pratiques

3. Compréhension orale (deuxième écoute)

Distribuer les questions suivantes (écrites) avant de faire écouter le dialogue une deuxième fois (et une troisième fois, si nécessaire). En écoutant, les étudiants vont repérer ce qui va leur permettre de répondre aux questions. Avant la correction, demander aux étudiants de comparer, deux par deux leurs réponses, de voir s'ils sont d'accord. La correction se fera en interaction entre les apprenants et l'enseignant.

1. Où est ce monsieur ? (Il est au commissariat de police.)
2. Est-ce qu'il a perdu son portefeuille ou est-ce qu'on lui a volé son portefeuille ? (Il l'a perdu.)
3. Où est-il allé ? (Au restaurant, puis dans un bureau de tabac.)
4. Où a-t-il vu qu'il n'avait plus son portefeuille ? (Au bureau de tabac, quand il a voulu payer ses cigarettes.)
5. Est-ce qu'il est allé au restaurant ? (Oui, à la Brasserie royale.) Pourquoi pense-t-il qu'il l'a perdu ? Vers quelle heure ? (Parce qu'il pense qu'il est tombé de sa poche, vers une heure et demie.)
6. Comment est son portefeuille ? (Il est en cuir, noir, avec deux parties, une pour les billets et une pour la monnaie. Il y a aussi ses initiales sur le portefeuille.)
7. Qu'est-ce qu'il y a dans son portefeuille ? (Il y a la photo de sa femme et de sa fille.)
8. Finalement, est-ce que ce monsieur retrouve son portefeuille ? (Oui, parce que quelqu'un l'a donné à un agent de police.)

4. Reprise de la situation

À cette étape de la compréhension et avant de proposer un jeu de rôles, reprendre la situation de manière à en fixer les étapes avec une série de questions récapitulatives :

1. Où se trouvent ces deux personnes ?
2. Qui parle ?
3. À qui ?
4. Pourquoi ?
5. Quelles questions va poser le policier ?
6. Est-ce que le monsieur est sûr de l'avoir perdu ?
7. Où est-ce qu'il pense l'avoir perdu ? Comment est ce portefeuille ?
8. Que va dire le monsieur ?

5. Mise en commun

Correction collective. On s'interroge sur les manques ou sur les erreurs :
– « Il a dû tomber de ma poche » (difficile à comprendre = il est peut-être tombé de ma poche)
– « Il est en cuir » (le mot « cuir » n'est pas toujours connu ou reconnu)
– « Avec deux parties ; pour la monnaie et les billets » (le mot « billet » n'est pas facilement reconnu)
– « La photo de ma femme et de ma fille » (le débit étant rapide, certains élèves comprendront « une photo de famille » ; on explique que femme et fille ont été compris en un seul syntagme)
– « initiales » et « Pierre Schmidt » (difficiles à comprendre, même s'ils ont été expliqués avant l'écoute du document)
    Reprise et explication du vocabulaire nouveau ou mal compris (« un bureau de tabac », « vérifier », « en cuir », « les initiales », « une brasserie », « un agent »…)

6. Jeu de rôles : préparation et écoute

Expliquer aux étudiants qu'ils vont travailler deux par deux et préparer un dialogue sur le modèle de celui qu'ils ont entendu. Ils ont 10 minutes pour préparer.

Canevas
Vous et un agent de police. Vous avez perdu votre sac ou votre cartable. Vous allez au commissariat pour faire une déclaration de perte. Suivez le modèle de l'enregistement.

Contraintes
Utilisez des adjectifs possessifs, l'imparfait et le passé composé. Utilisez le vouvoiement.
Expliquez pourquoi vous venez au commissariat.
Expliquez ce que vous avez fait dans la journée avant de découvrir que vous aviez perdu votre sac ; les différents lieux où vous êtes allé.
Puis, il faut décrire précisément le sac ou le cartable (la couleur, la forme) et dire ce qu'il y a dedans.
La fin peut être semblable au document ou non.

---

7. Correction de la production orale

Il faut veiller au respect des consignes, à la correction de la syntaxe et de la morphologie (les temps du passé, les articles, les prépositions, les accords d'adjectifs…). Il faut veiller également à la fluidité, aux marques du discours (« …rien d'autre ? », « Ah si ! », « Alors, c'est bien votre sac », « Merci bien ! »…).

4. Les fiches pratiques

25. Donner des conseils

Niveau :	B1-B2.
Durée :	Environ 1 heure.
Support :	Une série de dialogues de *Tempo 2* (Unité 2, page 37), Didier, 1997.
Objectif :	Donner des conseils de manières différentes en fonction de l'interlocuteur. Utiliser des niveaux de langue différents, des outils linguistiques tels que l'impératif, le conditionnel.
Matériel :	Un tableau, un lecteur de CD/cassettes, l'enregistrement du dialogue.
Salle :	Chaises et tables mobiles pour regroupement.

Remarques

Cette activité comporte plusieurs étapes :
– d'abord, un exercice de compréhension auditive qui a pour objectif de reconnaître, dans les différentes situations entendues, le problème évoqué et le conseil qui est donné ;
– puis, une compréhension dont l'objectif sera de repérer les différentes manières dont sont donnés les conseils (modes et temps utilisés, niveau de langue) ;
– enfin, après avoir reconnu les différents moyens utilisés pour donner des conseils, un jeu de rôles permettra de reprendre et de varier, dans d'autres situations, ces différents procédés en fonction de l'interlocuteur, du niveau de langue, du problème et du degré de conviction qu'on veut conférer aux conseils que l'on souhaite donner.

■ DÉROULEMENT DE L'ACTIVITÉ

1. Première étape de la compréhension du document sonore (10 minutes)

Passer deux fois de suite chaque situation en demandant aux étudiants de repérer simplement pour chacune d'entre elles, le problème et le ou les conseils proposés. Ce travail se fait individuellement.

Puis, demander aux étudiants de vérifier, voire de compléter leurs réponses, en travaillant deux par deux.

LA TRANSCRIPTION DES DIALOGUES

1.
– Ça va, Maurice?
– La santé, ça va, mais pas les finances, je n'ai plus un sou et je dois payer mes impôts avant lundi.
– Je serais toi, je revendrais ma grosse Mercedes, tu ne l'utilises presque jamais, et j'achèterais une petite cylindrée à crédit.

2.
– Tu n'as pas l'air en forme, Martine...
– Non, en ce moment j'ai du boulot par-dessus la tête. Je suis complètement crevée.
– Tu devrais voir Denise Médecin, elle organise des week-ends de remise en forme. J'en ai suivi un il y a un mois. C'est très efficace.

3.
– Alors Marc, ça va les études?
– Mon père est furax. Je suis nul en maths, le français c'est pas mieux, il n'y a qu'en gym que ça marche et dans deux mois, c'est le bac.
– Ben, il a raison ton père. Tu passes des heures devant la télé. Tu n'ouvres jamais un bouquin. Tu devrais te mettre sérieusement au boulot. En deux mois, tu peux rattraper ton retard!

4.
– Je ne m'entends plus avec René. On se dispute sans arrêt.
– Marie, c'est des choses qui arrivent dans un couple. Parle-lui, prenez un peu le temps de vivre, faites un petit voyage, ça devrait s'arranger, vous n'allez pas divorcer!

5.
– Qu'est-ce qui t'arrive Josiane? Tu as changé de coiffure?
– Non.
– Tu as changé pourtant.
– Ben, écoute. J'ai pris un peu de poids pendant les vacances.
– Il ne faut pas te laisser aller. Régime, ma vieille. Bouge-toi un peu, fais du jogging.

6.
– Alors, Pierre, il paraît que tu sors avec Lucie?
– Non. Qui est-ce qui t'a dit ça? Remarque, moi, je voudrais bien.

4. Les fiches pratiques

Mais elle ne me regarde même pas.
– Tu sais, les filles, il faut les faire rire, sinon, elles t'ignorent. Je ne sais pas moi, offre-lui des fleurs, invite-la au restau, fais-lui des petits cadeaux.

2. Mise en commun

Passer ensuite à la correction : les étudiants viennent au tableau et, pour les six dialogues entendus, écrivent quel est le problème et quels sont les conseils :

SITUATION	PROBLÈME	CONSEILS
1.	Il n'a plus d'argent pour payer ses impôts.	Vendre sa Mercedes.
2.	Martine est très fatiguée.	Faire un week-end de remise en forme.
3.	Marc est nul en français et en maths et il passe le bac dans deux mois.	Se mettre au travail.
4.	Marie se dispute avec son mari.	Prendre le temps de vivre, faire un petit voyage.
5.	Josiane a grossi	Faire un régime, faire du jogging.
6.	Pierre n'intéresse pas Lucie.	Des fleurs, un restau, des petits cadeaux.

3. Deuxième étape de la compréhension du document (15 à 20 minutes)

À ce moment, les étudiants voient plus clairement la thématique de chaque situation, ils peuvent dès lors identifier comment sont donnés les différents conseils. Le professeur leur demandera donc d'identifier quels modes et quels temps, quelles formulations, sont utilisés pour donner les conseils, et éventuellement quel niveau de langue est privilégié : registre courant ou familier.

Après encore deux écoutes successives de chaque situation, les étudiants compareront et compléteront deux par deux leurs réponses avant de passer à la correction.

4. Reprise des formulations

Écrire au tableau les formulations utilisées pour donner les conseils :

SITUATION	FORMULATIONS DES CONSEILS
1.	Je serais toi, je revendrais ma grosse Mercedes... (formule : « je serais toi » + verbe au conditionnel)
2.	Tu devrais voir Denise Médecin... (devoir au conditionnel + infinitif)
3.	Tu devrais te mettre sérieusement au boulot (devoir au conditionnel + infinitif)
4.	Parle-lui, prenez un peu le temps de vivre, faites un petit voyage. (impératif, qui appartient à un registre plus familier)
5.	Il ne faut pas te laisser aller. Régime, ma vieille. Bouge-toi un peu, fais du jogging. (« il faut » + infinitif ; nom sans article ; impératif)
6.	Tu sais, les filles, il faut les faire rire [...] offre-lui des fleurs, invite-la au restau, fais-lui des petits cadeaux. (mêmes procédés que précédemment).

Demander aux étudiants quels procédés permettent de donner un conseil de façon plus appuyée (« il faut... », l'impératif, un nom sans article) et ceux qui permettent de donner un conseil de façon moins directe, plus atténuée (« tu devrais... », « je serais toi,... »).

Demander aussi aux étudiants s'ils connaissent d'autres manières de donner des conseils. Par exemple : « à ta/votre place » + un verbe au conditionnel ; « tu pourrais » + infinitif.

Faire remarquer les expressions suivantes du registre familier :
– « se mettre au boulot » = se mettre au travail
– « Régime, ma vieille. » Cette phrase est elliptique du verbe = « Il faut que tu fasses un régime » ou « Fais un régime ». « Ma vieille » se dit de façon affective à une amie qu'on connaît depuis longtemps.

Le registre familier est utilisé non seulement dans les conseils donnés, mais aussi dans les dialogues, à d'autres moments.

Si vous en avez le temps, ou bien si les étudiants posent des questions, vous pouvez revenir sur des expressions telles que :
– « J'ai du boulot par-dessus la tête » = j'ai trop de travail, je suis submergée de travail.
– « Mon père est furax » = mon père est furieux.

– «Tu n'ouvres jamais un bouquin» = tu n'ouvres jamais un livre, c'est-à-dire tu n'étudies pas.
– «Bouge-toi un peu» = fais quelque chose pour que cette situation change, mais aussi fais du sport.

5. Production orale : jeu de rôles (préparation, écoute et correction)

Les étudiants travaillent deux par deux (personnages A et B) pour préparer un jeu de rôles (10 minutes environ). A a un problème et demande conseil à un(e) ami(e), B, qui lui donne plusieurs conseils et réussit à le/la convaincre. Les étudiants peuvent choisir le contexte situationnel qu'ils veulent, mais l'enseignant leur donnera certaines consignes :
– réutiliser les différentes manières de donner un conseil vues précédemment :
– en fonction de la situation de communication choisie, utiliser le niveau de langue qui correspond (choix du lexique, structures syntaxiques, modes et temps employés).
Écouter chaque dialogue et noter les erreurs. Prendre soin de vérifier que les étudiants ont bien suivi les consignes. Après chaque prestation ou en fin d'écoute, demander aux étudiants de trouver eux-mêmes la correction en interaction.

26. Simulation:
recherche d'une maison à louer dans une province française pour les vacances

Niveau: A2-B1.
Durée: 3 heures ou deux fois 1h30.
Support: Internet.
Objectif: Organiser un voyage en France avec activités choisies et location d'une maison.
Matériel: Poste informatique relié à Internet, ou…
Salle: …salle multimédia.

Remarques sur l'activité

La simulation favorise l'activité linguistique de l'apprenant par la dimension virtuelle et pourtant réelle du travail accompli.

▧ DÉROULEMENT DE L'ACTIVITÉ

1. Faire des groupes

Faire des groupes en fonction du centre d'intérêts culturels retenu par les apprenants. Par exemple: les «peintres» (ceux qui aiment aller dans les musées), les «gastronomes» (ceux qui aiment la cuisine française), les «sportifs» (ceux qui veulent aller faire une randonnée dans les Alpes), etc.

En fonction de leur «profil», les guider en leur proposant les sites répertoriés sur le tourisme en France.

2. Travail sur sites

Chaque groupe choisit une région, et une maison à louer pour un mois. (Exemple: http://www.gitesde france.fr. Ce site propose des locations chez l'habitant et oblige les apprenants à connaître la géographie de la France.) Leurs échanges favorisent une simulation en français et les obligent à

4. Les fiches pratiques

s'organiser entre eux. L'objectif de la simulation est de les mettre dans une situation « virtuelle » qui les aide à formuler leur choix en français.

3. Discussion en commun

Prise de notes pour les renseignements pris sur le site. Acceptation par les participants de chaque groupe du lieu, de la maison, du prix, etc.

4. Exposés oraux

Ils sont partagés entre tous les groupes à la fin du travail : « Nous, les sportifs, nous avons décidé d'aller dans la région de Chamonix... dans (telle maison) qui est louée, etc. »

Ce travail d'oral est très ludique, favorise les rires et crée dans le groupe-classe un souvenir un peu comme si les apprenants avaient vraiment et non virtuellement voyagé ensemble !

27. Débattre pour ou contre...

Niveau:	B1.
Durée:	2 heures.
Support:	Une discussion dans Réussir le DALF, Entraînement à la compréhension orale (Unité 82, enregistrement n° 22), Didier, 1996.
Objectif:	Initiation au débat, exprimer son opinion - argumenter - convaincre.
Matériel:	Un tableau, un lecteur de CD/cassettes, l'enregistrement et la transcription de la discussion.
Salle:	Chaises et tables mobiles pour regroupement.

Remarques

L'activité se déroule en 2 temps:
– une phase de compréhension orale avec repérage des stratégies mises en œuvre dans une situation de débat;
– une phase d'expression orale pour mettre en pratique ce qui a été observé.

■ DÉROULEMENT DE L'ACTIVITÉ

1. Première écoute

Constituer un nombre pair de groupes, chaque groupe comprenant trois ou quatre personnes. Consigne: repérer le thème de la discussion et si les personnes sont tout à fait d'accord, parfois d'accord ou pas du tout d'accord. L'enregistrement est écouté dans son intégralité et sans prise de notes.

Les étudiants répondent ensuite aux deux questions posées précédemment (le thème et l'opinion).

TRANSCRIPTION DE LA DISCUSSION

– Non, ils ne sont pas du même avis. Écoutez-les.
– D'abord les machines nous font gagner du temps!
– Ah oui? Alors, comment se fait-il que les gens, maintenant, soient toujours pressés? Je n'ai pas le temps! Je n'ai pas le temps! Autrefois,

---

nos parents savaient vivre plus tranquillement. L'heure pour eux, c'était l'heure du soleil, pas l'heure de l'horloge de l'usine.

– Mais, vous n'allez pas me dire… Si vous gagnez du temps grâce à une machine… vous pouvez en profiter pour aller au théâtre.

– Vous rêvez! Ce n'est pas moi qui gagne du temps, c'est mon patron. Résultat, je travaille autant mais, comme il n'y a plus assez de travail pour deux, mon ancien collègue est maintenant au chômage.

– Et la fatigue? Vous devez admettre que, grâce aux machines, le travail est moins pénible. Voyez le tracteur. C'est plus facile maintenant d'être cultivateur! Et la machine à laver?

– Oui, bien sûr, ces exemples… Mais souvenez-vous des usines et du travail à la chaîne : l'homme devait obéir au rythme de la machine, aux cadences. L'horreur. L'homme était mécanisé, affolé par la vitesse, esclave de la machine. Et puis, il n'avait plus aucune initiative, toujours les mêmes gestes, pas de création…

– Grâce aux machines, en tout cas, on peut produire davantage, c'est l'abondance : plus de blé, plus de voitures, plus de…

– Ah, parlons-en de l'abondance. Appelons-la plutôt surproduction et vous direz alors la vérité : trop de viande, trop de beurre, trop de ceci, trop de cela. On ne sait plus quoi en faire, ça fait baisser les prix et les producteurs sont mécontents! Et puis c'est facile de parler d'abondance. Vous savez bien qu'à côté du luxe il y a la misère, les nouveaux pauvres, les sans-abri… Allons, allons, ouvrez les yeux!

2. Deuxième écoute

La moitié des groupes va relever les arguments en faveur des machines, l'autre moitié les arguments contre. Lors de cette deuxième écoute, les étudiants sont donc invités à prendre des notes.

3. Mise en commun et troisième écoute

Une mise en commun rapide à l'intérieur de chaque groupe avant une nouvelle écoute pendant laquelle les étudiants vérifient et complètent les informations.

4. Le pour et le contre…

Faire deux colonnes au tableau : «arguments pour» et «arguments contre». Demander aux étudiants de citer le premier argument pour, puis le premier argument contre, le deuxième argument pour et le deuxième argument contre, etc. de façon à mettre en regard arguments et contre-arguments, comme suit :

ARGUMENTS POUR	ARGUMENTS CONTRE
Les machines font gagner du temps donc plus de temps libre.	Les gens sont toujours pressés; c'est le patron qui gagne du temps; pas assez de travail pour deux; chômage...
Le travail est moins fatigant.	L'homme est mécanisé, esclave de la machine. Pas de création, pas d'initiative.
On produit plus, c'est l'abondance: plus de blé, plus de voitures...	Surproduction: trop de viande, trop de beurre; les prix baissent; il y a la misère, les nouveaux pauvres...

5. Lecture et analyse de la transcription

Distribuer ensuite la transcription du document, le faire lire à voix haute par deux étudiants en attirant leur attention sur l'intonation, vérifier que tout est bien compris, puis demander à l'ensemble de la classe d'examiner comment arguments et contre-arguments s'enchaînent avec repérage des connecteurs notamment:
– D'abord les machines...
– Ah oui? Alors comment se fait-il...?
– Mais, vous n'allez pas me dire...?
– Etc.

Les étudiants sont amenés à comprendre que la contre-argumentation est construite à partir de l'argumentation; reprise des arguments pour en démontrer les faiblesses:

– Si vous gagnez du temps grâce à une machine, vous pouvez en profiter pour aller au théâtre.

– Ce n'est pas moi qui gagne du temps, c'est mon patron.

Les termes positifs sont transformés en termes négatifs: abondance ≠ surproduction, plus de ≠ trop de.

6. Mise au point lexicale

Avant de passer au débat, procéder à une petite mise au point lexicale. Les étudiants sont toujours par groupes de trois ou quatre et on va considérer que l'on a quatre groupes. Chaque groupe va chercher des mots et expressions pour:
– exprimer son opinion (groupe 1);

– exprimer son accord (groupe 2);
– exprimer son désaccord (groupe 3);
– persuader (groupe 4).

Au bout de 10 minutes maximum, le premier groupe fait part de ce qu'il a trouvé et l'enseignant écrit le vocabulaire au tableau. Demander aux autres étudiants de compléter et ajouter vous-même quelques termes, le cas échéant, avant de passer au groupe suivant. Exemples:

Exprimer son opinion
– Je pense que...
– J'estime que...
– Il me semble que...
– Je suis sûr(e)/persuadé(e)/convaincu(e) que...
– À mon avis, ...
– Personnellement, je dirais que...
– J'ai le sentiment que...

Exprimer son accord
– Je suis d'accord avec vous.
– Je partage votre point de vue.
– Ce que vous dites est juste.
– Vous avez raison de dire que...
– C'est exact/c'est certain/c'est vrai que...

Exprimer son désaccord
– Je ne suis pas de votre avis.
– Je pense que vous vous trompez.
– Vous avez tort de dire que...
– Vous faites fausse route.
– Je ne vous suis pas dans ce raisonnement.

Persuader
– Je vous affirme/je vous assure que...
– Voyons, réfléchissez, vous savez bien que...
– Vous n'ignorez pas que...
– Vous croyez vraiment que.../Vous pensez réellement que...?
– Soyez réaliste!

---

7. Préparation du débat

On peut maintenant passer au débat. La discussion peut être envisagée sur la base du «pour» ou «contre» ou bien à partir d'une affirmation avec laquelle on est «d'accord» ou «pas d'accord». Les thèmes dépendent évidemment du niveau linguistique des apprenants mais aussi de leurs centres d'intérêt et du contexte culturel. Voici quelques exemples :

Pour ou contre ?

Les jeux vidéo, le téléphone portable, l'interdiction des voitures dans le centre des villes, la limitation de la vitesse sur les routes, l'interdiction de fumer dans les lieux publics, l'ouverture des magasins 24h/24 et 7 jours/7, la légalisation des drogues douces, les OGM, l'euthanasie, la peine de mort...

D'accord ou pas d'accord ?

Une femme doit arrêter de travailler quand elle a des enfants, la télévision est responsable de la montée de la violence chez les jeunes, il est plus agréable de vivre à la campagne que dans une grande ville, l'utilisation du courrier électronique (ou des SMS) entraîne une dégradation de l'écrit...

Les groupes vont débattre deux par deux, soit : le groupe 1 est pour les jeux vidéo, le groupe 2 est contre ; le groupe 3 est pour le téléphone portable, le groupe 4 est contre, etc.

On pourrait demander aux étudiants de choisir librement leur camp, mais pour obtenir des groupes équilibrés, il est préférable de garder les groupes tels qu'ils ont été constitués au début de la séance et que ce soit l'enseignant qui décide de la position adoptée par chaque groupe. Il en découle naturellement que des étudiants ne partagent pas le point de vue qu'ils doivent défendre. Cela ne fait rien, comme des avocats, ils vont devoir « jouer le jeu » et se montrer convaincants.

Chaque groupe, pendant 10 minutes, prépare ses arguments. Circuler dans la classe, mais n'intervenir qu'en cas de nécessité.

Avant que le débat ne commence entre les deux premiers groupes, rappeler que chaque membre du groupe doit participer, qu'il est important de bien écouter les arguments de la partie « adverse », qui doivent servir à construire la contre-argumentation, et qu'il faut essayer d'utiliser le lexique vu précédemment. Les autres groupes écoutent le débat et devront déterminer quel groupe leur a paru le plus convaincant.

8. Le débat

Il faut compter 10 minutes de débat pendant lesquelles l'enseignant prend des notes concernant à la fois les erreurs linguistiques et la stratégie mise en œuvre. Il est également possible d'enregistrer le débat ce qui permet un travail ultérieur d'auto-évaluation et facilite la correction. À la fin du débat, les «spectateurs» sont invités à faire des remarques, puis l'enseignant fait ses propres commentaires et amène les étudiants à corriger eux-mêmes les fautes relevées. Un nouveau débat s'engage ensuite entre deux autres groupes.

Remarques

Il est évident que ce type de débat «à la française» sera plus facile à simuler pour des étudiants d'origine latine que pour un public asiatique. Il est donc capital de bien choisir les thèmes de discussion pour que les étudiants aient envie de s'impliquer et, pour les plus timides, de montrer le caractère ludique de l'activité : on joue à «être français». Avec un public international, lors de la constitution des groupes, veiller à mélanger les nationalités et les personnalités.

28. Pratiquer l'oral par une approche sensorielle et psychologique des couleurs

Niveau :	A2-B1.
Durée :	45 minutes.
Support :	Matériel préparé par l'enseignant (cf. Matériel)
Objectif :	Permettre à toute la classe de s'exprimer sur un thème universel et qui touche la sensibilité de chacun. Confronter les expériences et réfléchir en groupe sur quelques implications technologiques.
Matériel :	Un tableau, six feuilles blanches format A4, six pochettes en plastique transparent, un ruban adhésif.
Salle :	Chaises disposées en cercle devant l'enseignant.

Remarques sur le thème

La couleur entretient des rapports privilégiés avec le stylisme et la mode, mais elle dépasse de beaucoup ce domaine pour jouer un rôle déterminant dans tous les actes de la vie quotidienne.

Elle influence notre goût lorsqu'il s'agit de manger ou d'acheter des produits. Elle influence l'humeur qui dépend souvent des couleurs de notre environnement ou des «couleurs du ciel». Elle sert à distinguer de manière quasi universelle, par exemple la voiture des pompiers (rouge), le robinet d'eau chaude (symbolisé par un signe rouge) et le robinet d'eau froide (symbolisé par un signe bleu).

Autour de nous, tout est couleur et cela semble bien normal.

Le mot lui-même, comme le précise Michel Pastoureau (*Dictionnaire des couleurs de notre temps,* Bonneton, 1999), «séduit, attire, fait vendre», et remplace désormais fréquemment d'autres mots comme «art, peinture, lumière, tableau, musique, voix, paysage, temps, visage, jardin, vêtement, etc.» Il rappelle que l'on parle des couleurs de Matisse pour la peinture de Matisse, des «couleurs vocales» d'une cantatrice pour sa voix, des «couleurs du temps» pour les prévisions météorologiques, des «couleurs du grand Nord» pour les paysages scandinaves, etc. «La couleur fait vendre», disait un slogan des années 1950; ce slogan court toujours et encore plus qu'avant.

4. Les fiches pratiques

Étudier ce thème, dans une classe de langue, conduit à emprunter trois voies:
– la voie sensorielle et psychologique (que certains appellent «thérapeutique»);
– la voie culturelle;
– la voie scientifique.

On traite dans cette fiche la première et l'on réserve les deux autres pour la fiche n° 29.

Lorsque l'on exprime une appréciation subjective de la couleur comme «J'aime le rouge parce que c'est stimulant», «Je n'aime pas le rouge parce que ça me rappelle le sang», «J'aime le bleu parce que ça me calme», «Je n'aime pas le bleu parce que c'est froid», etc., l'on se place sur le plan sensoriel et psychologique. Cette expression est souvent fonction de l'impression ou de l'expérience des individus. C'est ce que nous allons aborder dans ce qui suit.

Remarques sur le matériel

Préparer six feuilles blanches. Écrire sur chacune, en très grosses lettres noires (elles doivent pouvoir se voir de loin), un mot de la série suivante: violet, vert, orange, bleu, jaune, rouge. Glisser chaque feuille dans une pochette en plastique transparent. À l'aide d'un morceau de ruban adhésif, coller sur le mur la pochette violet et par-dessus la pochette bleu. Opérer de la même manière sur le deuxième mur avec vert puis jaune, et sur le troisième mur avec orange puis rouge. Avant l'arrivée des étudiants, pousser un peu les tables et les chaises vers le milieu de la classe pour créer un espace permettant de circuler le long des murs.

▪ DÉROULEMENT DE L'ACTIVITÉ

1. Découverte de l'activité

Faire entrer les étudiants et les inviter à faire le tour de la classe pour découvrir les trois couleurs affichées (bleu, jaune et rouge). Leur demander ensuite de choisir une couleur. Trois groupes se constituent devant chaque couleur (le groupe du bleu, du jaune, du rouge). À ce moment, les participants d'un même groupe doivent mener une discussion dans laquelle ils expriment la ou les raisons de leur choix.

Contrainte imposée par l'enseignant: «Chacun de vous doit donner une raison différente des autres, alors mettez-vous d'accord dans le groupe sur ce que chacun va dire. Pour cela, vous avez trois minutes.»

Donner ensuite la parole à tour de rôle à chaque étudiant en commençant, par exemple, par les participants du groupe le moins nombreux pour finir par ceux du groupe le plus nombreux. Accepter toutes les raisons. Par exemple :

– J'ai choisi le bleu parce que ça me rappelle la mer et le ciel d'été.

– J'ai choisi le jaune parce que c'est brillant comme le soleil.

– J'aime le rouge parce que c'est vivant, c'est fort.

et aussi :

– J'ai choisi le jaune parce qu'il y a moins de monde dans ce groupe.

– Je suis dans le groupe du rouge parce que je n'aime pas le bleu et je n'aime pas le jaune.

Les interventions ironiques ou «hors propos» servent de «distracteurs», de variations comiques qu'on utilise pour détendre l'ambiance et travailler dans la bonne humeur.

2. Proposer un nouveau choix

Détacher la première série et la seconde série apparaît (violet, vert et orange). Un nouveau choix est proposé et l'on fait le même exercice que précédemment.

Remarques

Cet exercice est particulièrement recommandé en début d'année ou de cursus d'apprentissage. Il permet de placer le «faire» avant le «dire», méthode particulièrement stimulante surtout auprès d'un jeune public. Et pendant environ 20 minutes, les étudiants bougent, ils vont et viennent, parlent à certains puis à d'autres en se regroupant différemment.

3. Réflexion et discussion (couleurs primaires et secondaires)

Coller les six feuilles au tableau, comme elles ont été présentées dans la partie «préparation», et les étudiants peuvent s'asseoir. Vous adressant à toute la classe, demander de réfléchir à la différence entre la première et la seconde colonne. Très facilement les étudiants trouvent que : bleu + rouge = violet, rouge + jaune = orange, jaune + bleu = vert.

On a donc établi que la combinaison des trois premières couleurs, deux par deux, donne les trois secondes. Il suffit alors de désigner le premier groupe par «couleurs primaires» et le second par «couleurs secondaires». On cherche ensuite à les définir :

– Quelle définition allons-nous donner aux couleurs primaires ? (Elles ne peuvent pas être obtenues par mélange.)

– Quelle définition pour les couleurs secondaires ? (Elles s'obtiennent par mélange, en quantités égales, des couleurs primaires entre elles.)

Écrire au tableau :

bleu jaune	rouge = primaires*	
violet vert	orange = secondaires*	

* Les couleurs primaires et secondaires sont aussi appelées couleurs vives, ou couleurs pures.

4. Les couleurs tertiaires

Cette mise en évidence simple que les étudiants, en général, connaissent va conduire à introduire une troisième série, les six couleurs tertiaires (ou ternaires) et un vocabulaire plus spécialisé. Au tableau, proposer les additions suivantes :

bleu + vert =
vert + jaune =
violet + bleu =
rouge + violet =
orange + rouge =
jaune + orange =

Après une légère hésitation pour la première addition, les étudiants trouvent les composés et parfois les mots « turquoise », « indigo ». Compléter de la manière suivante :

bleu + vert = bleu-vert ou *turquoise*
vert + jaune = jaune-vert ou *soufre*
violet + bleu = bleu-violet ou *indigo*
rouge + violet = rouge-violet ou *grenat* (ou *pourpre*)
orange + rouge = rouge-orangé ou *capucine*
jaune + orange = jaune-orangé ou *safran*

Il y a, bien sûr, beaucoup à ajouter à ces désignations, mais l'enseignant se limite à ce qui est indiqué ci-dessus pour ne pas monopoliser la parole. Les étudiants sont, en général, intrigués par ce vocabulaire. Ceux de même nationalité s'interrogent pour chercher l'équivalent dans leur langue, d'autres se précipitent dans leur dictionnaire bilingue. Peu importe qu'ils trouvent ou non car la simple addition leur révèle le sens. On peut pousser plus loin la discussion et les échanges d'expériences si les étudiants montrent un vif intérêt et/ou suffisamment de connaissances techniques dans ce domaine. On peut, dans ce cas, aborder la redéfinition et le traitement par la technique des couleurs primaires car cela revient à parler concrètement de l'industrie qui nous entoure et à mieux la comprendre.

Les couleurs primaires, définies ici par bleu, jaune, rouge, font l'objet d'une redéfinition dans deux domaines distincts. Le premier redéfinit la matière colorée, le second redéfinit la lumière colorée :

– en peinture industrielle ou artistique, en reproduction (impression, photographie, reprographie, en teinture et en coloration des matériaux, des objets, etc.), on utilise la synthèse soustractive, et les primaires permettant de situer chaque couleur sont le cyan (un bleu-vert qui absorbe la couleur rouge), le magenta (un certain rouge-violacé), le jaune, le noir. C'est le système CMJN ;

– sur écran, par exemple pour la télévision, l'informatique et la vidéo numérique, on utilise la synthèse additive. Les primaires pour l'écran sont le rouge (plus exactement le rouge-orangé), le vert et le bleu (plus précisément le bleu-violet). C'est le système RVB.

Lorsque l'on travaille avec un ordinateur, les deux systèmes interviennent : le RVB pour l'écran, le CMJN pour l'imprimante couleur.

4. Les fiches pratiques

29. Débat interculturel sur le symbolisme des couleurs et travaux pratiques sur la notion d'harmonie

Niveau: A2-B1.
Durée: 45 minutes.
Support: Le «cercle chromatique» (cf. Matériel).
Objectif: Échanger dans un débat ses connaissances sur l'utilisation symbolique des couleurs dans son pays. Réaliser des harmonies et des dissonances sur le cercle chromatique.
Matériel: Un tableau, des photocopies du cercle chromatique à douze couleurs.
Salle: Chaises disposées en cercle devant le professeur.

Remarques sur l'objectif

On a défini trois chemins à suivre pour traiter le thème des couleurs en classe de langue. Le premier (approche sensorielle et psychologique) fait l'objet des activités décrites dans la fiche 28. La dimension culturelle et l'approche scientifique (qui sont les deux autres) sont abordées ici.

La dimension culturelle d'un sujet universel se traduit d'emblée, avec un public international, par un vaste et passionnant échange interculturel et parfois, par un retentissant «choc des cultures» gravé dans la mémoire de chacun pendant de longs mois. La classe est, donc, le lieu par excellence d'un tel débat.

Les techniques de restitution des couleurs posent de passionnants problèmes de composition. Chacun y trouvera un champ de réflexion et des outils pour, par exemple, la décoration d'une maison (voir aussi http://www.felicie-le-dragon.com), l'organisation d'un jardin, d'un paysage (voir http://www.thierry.jouet.free.fr), la conception d'un site web (voir entre autres http://www.smartpixel/chromoweb.fr).

Remarques sur l'activité

La dimension culturelle des couleurs touche le symbolisme que chaque peuple s'est forgé et qui émane de sa propre culture. L'enseignant arbitre une discussion au cours de laquelle vont s'exprimer les différences mais également les ressemblances. Il accepte les premières, comme autant d'éléments de connaissance de «l'autre» et privilégie les secondes, porteuses de ressemblances car, après tout, nous sommes tous habitants d'une même planète. Cette orientation permet de réaffirmer la cohésion de la classe (en définitive, beaucoup de choses nous rassemblent), et aussi de préparer l'approche scientifique de l'étude des couleurs (où l'on constatera que nos yeux fonctionnent à peu près de la même manière dans tous les pays).

■ DÉROULEMENT DE L'ACTIVITÉ

1. Lancement du débat

Lancer un dialogue avec les étudiants, comme celui-ci :

– En effet, en France, les taxis n'ont pas une couleur définie et en Suède, Yan, de quelle couleur sont les taxis ?

– Ils sont noirs.

Les remarques des uns font réagir les autres :

– En Angleterre aussi.

– Aux États-Unis, ils sont jaunes.

– Les cabines téléphoniques sont bleues ou argent aux USA, mais elles sont transparentes en Suède et, au Japon, elles sont de toutes les couleurs. Il n'y en a d'ailleurs presque plus mais avant, elles étaient rouges, puis, elles ont été jaunes, puis vertes.

– À Taiwan, la mariée porte maintenant une robe rouge et blanche mais avant elle était seulement rouge.

– Oui, c'est parce que vous êtes influencés par la coutume occidentale…

La discussion peut conduire à préciser certains détails :

– En Suède, le feu tricolore est rouge, orange et vert, mais on dit jaune pour désigner l'orange.

– Au Japon, il est rouge, jaune, vert, mais on dit bleu pour le vert.

– Le violet est un symbole de mort pour les Chinois mais c'est un symbole de royauté pour les Japonais ; pour nous c'est très beau, très noble !…

On conclut le débat par la synthèse de ce qui a été signalé comme symbolique commune à tous les pays représentés dans la classe :

– Les pharmacies sont signalées par une croix verte.

– Les infirmières ont une blouse blanche ou rose pâle et les chirurgiens une blouse verte.

– La voiture des pompiers est rouge même si le vêtement est noir pour les uns et jaune pour les autres.

– Le robinet d'eau chaude est signalé par un signe rouge et celui de l'eau froide par un signe bleu.

– On ne mange pas, en général, de nourriture de couleur bleue (excepté quelques médicaments).

Faire alors une transition pour passer à la dimension scientifique de son thème :

– Vous allez faire maintenant des travaux pratiques, de la géométrie, celle de votre enfance, et vous avez besoin d'un crayon, d'une règle et d'une gomme.

2. Le cercle chromatique

Distribuer à chacun une photocopie du cercle chromatique à 12 couleurs. Les étudiants y retrouvent les couleurs primaires, secondaires et tertiaires de l'activité proposée en fiche 28.

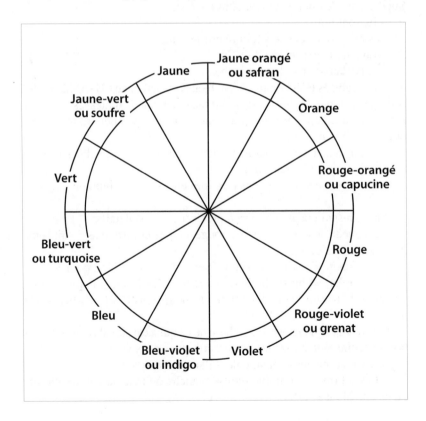

Demander de choisir et de relier par un trait deux couleurs diamétralement opposées (la ligne doit passer par le centre du cercle). Les étudiants réalisent l'une des possibilités suivantes:
- jaune ... violet;
- jaune-orangé ... bleu-violet;
- orange ... bleu;
- rouge-orange ... bleu-vert;
- rouge ... vert;
- rouge-violet ... jaune-vert.

Ils comparent leur choix et le commentent avec leurs voisins.

Leur demander ensuite de tracer un triangle équilatéral (à trois côtés égaux), avec les trois couleurs primaires. Puis, de former un carré avec quatre couleurs.

Pour finir, leur demander de tracer un hexagone (figure à six côtés). Pour le réaliser, tracer un triangle avec les couleurs primaires (pointe en haut), puis un triangle avec les couleurs secondaires (pointe en bas), et relier les six points.

Passer près de chaque étudiant, vérifier, donner des conseils et une nouvelle photocopie si l'étudiant s'est trompé ou si sa première feuille est trop chargée de lignes et l'on n'y comprend plus rien. Un petit paquet de photocopies supplémentaires se trouve d'ailleurs sur une table et les étudiants peuvent librement se servir.

3. Réalisation d'harmonies

Expliquer aux étudiants qu'ils viennent de réaliser des «harmonies objectives» de couleurs, et toutes les couleurs qu'ils ont reliées sont appelées «couleurs complémentaires». Exemples: le bleu-vert avec le rouge-orangé (accord à deux couleurs); le jaune avec le bleu et le rouge (accord à trois couleurs); le jaune, le bleu-vert, le violet, le rouge-orangé (accord à quatre couleurs); le jaune, le vert, le bleu, le violet, le rouge, l'orange, le jaune (accord à six couleurs).

Préciser que ces couleurs sont «complémentaires» car elles interfèrent les unes avec les autres en produisant un effet de «contraste». Cela désigne un phénomène d'équilibre optique qui consiste pour l'œil à «produire» la couleur complémentaire.

On fait à ce propos la distinction entre «complémentarité additive» et «complémentarité soustractive». La première concerne le mélange de lumières colorées complémentaires dont le résultat est la restitution de la lumière blanche. La seconde concerne le mélange de matières colorées dont le résultat est un gris neutre.

Comme on a fait créer des harmonies objectives, demander aussi de créer le contraire, c'est-à-dire des «dissonances» (toujours sur le cercle chromatique). Donner la définition si les élèves n'y arrivent pas par déduction: «La dissonance consiste à associer des couleurs proches.»

On a donc les réalisations suivantes: le rouge et le violet, le bleu et le violet, le bleu et le vert, le vert et le jaune, le jaune et l'orange, l'orange et le rouge.

Demander aux étudiants si certaines de ces associations leur plaisent et expliquer que, en tout cas, elles sont objectivement considérées par l'œil comme des horreurs.

4. Pour aller plus loin...

Demander aux étudiants de choisir la palette chromatique qui conviendrait aux sites web qui concernent les domaines suivants (et de justifier leur choix):
– le sport et les divertissements;
– le cinéma et la culture;
– la publicité et les médias;
– la nature et les loisirs;
– l'informatique et la médecine;
– l'art et la culture.

Ils peuvent se mettre par quatre et choisir deux sites par groupe. Ils comparent ensuite leur travail.

30. Discussion sur le parfum

Niveau:	B1.
Durée:	30 minutes.
Support:	Aucun (éventuellement, des documents sur le parfum).
Objectif:	Donner la parole à tout le groupe. Faire le point de leurs connaissances sur ce domaine, faire faire quelques recherches personnelles.
Matériel:	Un tableau.
Salle:	Chaises disposées en cercle devant le professeur.

Remarques sur l'objectif

On propose ici ce qui est souvent pour les étudiants une découverte du domaine de la parfumerie. Les activités de cette fiche et celles de la fiche 31 permettront de mesurer l'importance de ce thème dans la culture française, les enjeux et le poids économique de l'industrie du parfum à une échelle désormais mondiale, les débouchés professionnels liés à la parfumerie, aux cosmétiques, à l'esthétique, à l'aromatique alimentaire. Elles s'inscrivent dans le cadre d'un cours sur le stylisme et la mode, mais peuvent faire partie d'un cours de langue générale si l'enseignant souhaite proposer à sa classe une recherche sur les matières premières utilisées pour la composition des parfums (la rose, la citronnelle, le santal, le musc…), une recherche sur les tournures lexicales nécessaires à l'appréciation d'une odeur (fleurie, légère, sauvage, boisée…). Et faire découvrir les procédés de fabrication du parfum (voir fiche 31).

L'ensemble lui permettra de traiter un vocabulaire important mais à la fois attrayant et donc facilement assimilable car le thème du parfum combine à la fois une dimension onirique et une dimension rationnelle (on peut rêver et aussi comprendre).

En fin de parcours, une différence notable entre les compétences d'entrée et les compétences de sortie de chaque étudiant sera observée et ces derniers pourront les mesurer avec une grande satisfaction.

On ne demandera pas aux étudiants de préparation particulière pour ce cours car on leur propose un chemin de découverte dont la première étape partira de lieux communs, d'images, de vécus personnels, qu'ils mettront en commun en début de discussion.

4. Les fiches pratiques

Toute la classe, enseignant compris, doit former un grand cercle. Une telle disposition permet aussi de faciliter les échanges en grand groupe : tout le monde peut voir et peut parler à tout le monde. Il est important que tout le monde puisse regarder tout le monde car le regard, comme les gestes, fait partie intégrante de la communication. Lorsque l'on s'adresse à un grand groupe, pensons qu'il est composé d'individus distincts. Chaque personne doit sentir qu'on parle pour elle, en particulier, le regard doit donc s'arrêter sur chaque personne et faire le tour de tous. C'est ainsi que chaque participant se sentira personnellement concerné par ce que le locuteur dit, il se sentira exister à ses yeux et l'écoutera d'autant mieux.

■ DÉROULEMENT DE L'ACTIVITÉ

1. Découverte du thème

Introduire le thème de la discussion avec une phrase du genre : « Hum… Ça sent bon aujourd'hui, ça sent le printemps, l'herbe coupée, la neige… ou bien, ça sent le renfermé… Vous ne trouvez pas ? »

Expression libre des étudiants au cours de laquelle on utilise les compétences des uns pour corriger les formulations erronées des autres.

Remarques sur la correction

On ne peut pas tout corriger et tout le temps, il faut choisir. Choisir ici de corriger les éléments linguistiques et grammaticaux en relation avec le thème de la séance. Utiliser des procédés d'autocorrection ou de relais (en passant par d'autres étudiants).

2. Développement du thème

L'enseignant a une fonction d'organisateur et d'arbitre. Il a la responsabilité de faire avancer la discussion. Ce qu'il réalisera ici par : « Au fait, qu'est-ce qui sent bon ? Qu'est-ce que vous aimez comme odeur ? Quelle odeur vous est désagréable ? »

Relever toutes les réponses et les noter au tableau, car cela vous permet de :

– partir des expériences individuelles de chaque étudiant pour les mettre en commun et les faire partager aux autres. Le groupe-classe disposera ainsi du cumul de toutes les expériences individuelles, ce qui constituera une grande richesse de partage ;

– proposer une réflexion sur les champs lexicaux abordés en entourant, par exemple avec un feutre ou une craie de même couleur, les mots liés à un même domaine (les fleurs, la cuisine…) ;

– mesurer l'étendue de l'expérience olfactive de sa classe et prévoir le travail à faire pour atteindre ses objectifs pédagogiques.

Cette phase conduit naturellement à parler de parfum. Demander aux étudiants s'ils se parfument, si leur entourage se parfume, de donner des noms de parfums, d'eaux de toilette. Écrire ces noms au tableau, toujours avec l'objectif de fixer et de valoriser devant le regard de chacun la richesse commune à toute la classe.

Classer les réponses dans deux colonnes différentes : parfums pour femmes et parfums pour hommes. Puis, s'éloigner du tableau pour mieux considérer ce classement et mieux le faire apprécier aux étudiants. Marquer une courte pause de 30 secondes après laquelle demander : « Est-ce différent ? Est-ce toujours différent ? En quoi est-ce différent ? »

3. Les matières premières

Aborder les matières premières servant à la composition d'un parfum : « À propos, avec quoi fait-on le parfum ? Quels sont les ingrédients ? les matières premières ? »

Accepter toutes les réponses et les classer au tableau dans des colonnes différentes. Prévoir aussi une colonne pour les réponses douteuses, erronées, à vérifier, que l'on traitera en fin de séance ou après avoir fait un complément de recherche à la maison. N'oublions pas que l'enseignant a, bien sûr, préparé son cours mais n'est pas un spécialiste de ce domaine.

Très souvent les étudiants confondent par exemple, le musc (substance d'origine animale) et la noix de muscade (épice utilisée en cuisine et en parfumerie). Saisir toutes les occasions pour surprendre, étonner, interroger, susciter la curiosité et l'enthousiasme des étudiants et signaler par exemple que le musc, le castoréum, la civette, et l'ambre gris, sont des matières premières d'origine animale et donner leur explication. En général, l'ambre gris, ayant comme origine la concrétion intestinale rejetée par le cachalot et ramassée sur les océans ou au bord des plages, marque beaucoup les esprits. Préciser aussi que certaines de ces substances sont obtenues à présent par produits de synthèse. Heureusement, on ne tue plus les castors du Canada pour leur *piquer* leurs précieuses petites glandes !

Plusieurs classements sont possibles. On en propose ici un personnel, simple, facile à réaliser avec les étudiants.

Parfum : origine des matières premières

Fleurs

La rose, le jasmin, le mimosa, la violette, la tubéreuse (plante originaire du Mexique cultivée pour ses belles grappes de fleurs blanches à odeur suave et pénétrante), le genêt, l'angélique, la cardamome, la cannelle, l'osmanthus, le ylang-ylang...

Feuilles

L'eucalyptus, la coriandre, la citronnelle, le baume du Pérou, la violette, le patchouli.

Racines

Le baume de tolu, le vétiver, l'iris...

Écorces et bois

Le santal, la cannelle, le bouleau, le gaïac, le cèdre, le bois de rose...

Mousses

Surtout la mousse de chêne.

Résine

Le benjoin (résine qui vient d'un arbre « le styrax » ou « storax benjoin »).

Fruits

Le citron, l'orange, la bergamote, la mandarine...

Épices et plantes aromatiques

Le cumin, le thym, le romarin, le basilic, la noix de muscade...

Substances animales

Le castoréum : excrétion sébacée de glandes placées sous la queue du castor.

Le musc : prélevé sur le chevrotin mâle (de la famille du chevreau), sécrétion dans la poche placée sous le ventre de l'animal.

La civette : sorte de chat sauvage, sécrétion de la poche anale.

L'ambre gris : régurgitation du cachalot (sorte de baleine). Elle est rejetée en masse par l'animal et surnage sur les océans.

Si l'on cherche un classement plus élaboré, plus « professionnel », voir :
– http://www.fragonard.com (site du très célèbre parfumeur Fragonard dont les usines se trouvent à Grasse, ville du sud de la France et capitale du parfum) ;
– la brochure de présentation de l'Osmothèque de Versailles (36, rue du Parc de Clagny, 78000 Versailles).

(Documents à n'utiliser avec les étudiants qu'en fin de parcours.)

4. Recherche sur deux matières premières

Proposer aux étudiants de se mettre par deux et de faire une recherche sur deux matières premières (choix fixé en classe), qu'ils présenteront aux autres au cours de la séance suivante. Ils pourront puiser leurs informations dans un dictionnaire, un livre sur les plantes, Internet. Ils essaieront de donner en trois minutes au maximum l'origine de la matière première, c'est-à-dire où l'on peut la trouver, une sommaire description et son utilisation habituelle.

31. Comment est fabriqué le parfum?

Niveau:	B1.
Durée:	30 minutes.
Support:	Un document vidéo (de l'émission *De la fleur au parfum* sur la chaîne 5, juin 2001).
Objectif:	Compréhension d'un documentaire télévisuel qui explique comment est fabriqué industriellement «l'absolu» = essence utilisée par les parfumeurs pour composer les parfums.
Matériel:	Un tableau, un magnétoscope, schéma à compléter, l'enregistrement et la transcription du document vidéo.
Salle:	Chaises et tables mobiles pour regroupement.

Remarques sur l'objectif

La compréhension de ce document doit se faire de manière précise. Elle repose sur une explication d'ordre technique et suit une démarche logique. Chaque phase de la démonstration est importante et il est important de comprendre les mots-clés balisant chaque étape du processus pour pouvoir avancer et passer à l'étape suivante.

L'activité introduit une certaine compétition souvent très appréciée par les étudiants (et de tout âge!) Qui arrivera à comprendre? à donner l'explication aux autres? à venir à bout du schéma final?

Remarques sur le support

Il est particulièrement adapté à ce type d'activité qui ne peut se contenter d'une compréhension globale et approximative. Il offre une redondance de sens tout à fait précieuse: on dit, on montre et, pour le cas présent, on illustre et résume le tout grâce à un schéma.

Le document dans son ensemble dure 15 minutes, mais on en a sélectionné un extrait de 5 minutes, durée suffisante si l'enseignant veut l'exploiter en profondeur.

Remarques sur la place de l'écran de télévision dans la classe

Quand la salle dispose d'une installation vidéo fixe, on ne peut souvent rien n'y changer si le lieu choisi ne semble pas satisfaisant. L'écran est souvent placé trop haut. Quand on apporte ce matériel sur un meuble à roulettes, l'écran est souvent trop bas. Dans les deux cas, les étudiants risquent de ressentir un certain inconfort dans la région du cou ou de la nuque, raison de plus pour que le film ne dure pas trop longtemps. On peut cependant veiller à diminuer l'éclairage, à tirer les rideaux, à faire changer de place certains, pour un meilleur champ visuel et un meilleur confort.

■ DÉROULEMENT DE L'ACTIVITÉ

1. Préparation à l'activité

Présenter l'objectif de l'activité qui est de comprendre puis d'expliciter à l'aide d'un schéma comment est fabriqué industriellement une essence nommée «l'absolu» à partir des fleurs.

Dire aux étudiants qu'ils vont entendre dans le document vidéo les mots suivants, et écrire en gros au tableau dans quatre colonnes différentes: «un extracteur, la cire végétale, la concrète, l'absolu». Montrer les mots au tableau et, pour chaque mot, demander de faire des hypothèses de sens à partir de sa forme, de trouver des mots de la même famille, de les expliquer par d'autres mots, par des contraires. Guider la discussion vers les formulations les plus exactes mais sans trancher. Toutes les productions sont mises au tableau comme suit:

UN EXTRACTEUR	LA CIRE	VÉGÉTALE	LA CONCRETE	L'ABSOLU
extraire (quelque chose de quelque chose)	le cirage	la végétation	concret/ abstrait	absolument
une extraction	la cire d'abeille	les végétaux	concrètement	absolutisme (opposé à relatif)
sortir (quelque chose avec difficulté)			la réalité	

Passer le document vidéo deux fois avec la consigne: «Nous allons voir ce document et découvrir ou mieux comprendre le sens de ces mots.»

Remarques

L'enseignant a sélectionné les mots-clés, les incontournables sans lesquels la compréhension ne peut avoir lieu. Il est important que les étudiants les aient entendus, vus. Il n'est pas nécessaire qu'ils aient déjà compris le sens qu'ils ont dans ce document. Ils appartiennent à un domaine spécifique, non courant, mais ils sont en même temps très faciles à comprendre grâce au document. En effet, le vocabulaire spécifique ou de spécialité s'avère tout à fait transparent à condition d'être bien illustré.

2. Travail en petit groupe

Les étudiants se mettent par quatre pour reprendre en petit groupe l'explication de la fabrication. Passer dans chaque groupe, s'asseoir avec eux quelques instants pour les aider à trouver les formulations nécessaires. Puis, donner une feuille par groupe représentant un schéma vierge à compléter (semblable à celui du document visionné).

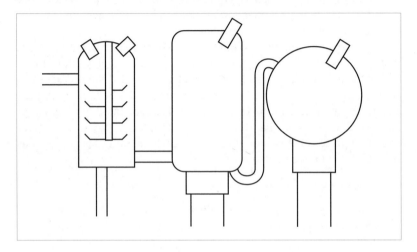

Remarques

Le travail se fait ici en termes de tâche à accomplir (il faut arriver à un résultat) et les étudiants en sont très motivés. Motivés aussi par l'esprit de compétition qu'il introduit. Pour cette raison, leur demander de comparer leur schéma fini avec celui des autres groupes.

3. Mise en commun

Ensemble et en grand groupe cette fois, reprendre l'explication. Distribuer la parole, arbitrer le temps de parole de chacun pour que tous puissent s'exprimer.

Un étudiant, celui qui sait dessiner, un volontaire, quelqu'un de désigné et encouragé par les autres, pourra aller au tableau et faire admirer à tous ses talents d'artiste en reproduisant le schéma des cuves complété par les explications que lui donneront au fur et à mesure ses camarades.

Les usines Robertet travaillent pour Patou, Chanel, Guerlain.
La cueillette du jasmin a lieu entre juillet et octobre. Elle commence
à 5h du matin car le jasmin s'ouvre pendant la nuit : «la rose donne
son âme au soleil, le jasmin donne son âme aux étoiles».
Il pousse depuis 1860.
Il faut 10 mille fleurs pour faire 1 kg. Une bonne cueilleuse arrive à
4 kg par jour et le salaire est de 80 F le kg de fleurs (environ 12,20 euros).
L'objectif est d'extraire l'huile essentielle de la fleur. Dans le pétale,
il y a de la cire végétale, c'est une matière odorante. Il y en a aussi
un peu dans la queue.
Dans l'usine Robertet, les fleurs de jasmin sont disposées immédiatement dans des plateaux. Elles vont être plongées dans la cuve d'un
extracteur qui va permettre de récupérer un composant essentiel : la
cire végétale qui contient les odeurs.
On va faire ce que l'on appelle en parfumerie : des lavages. On met
un solvant (de l'éthane) qui sera en contact avec les fleurs pendant
environ 5mn. Les fleurs sont entièrement dans le solvant et les
plateaux sur lesquels sont disposées les fleurs évitent qu'elles ne
viennent s'amasser au fond de la cuve. Toutes les cellules végétales
vont éclater et le solvant va solubiliser les cires végétales naturelles
qui sont contenues dans toutes ces cellules.
On va avoir de la cire végétale solubilisée dans du solvant.
Tout ce solvant sera récupéré ensuite dans un évaporateur et l'on éva-
porera la phase solvant pour ne garder que la phase cire. Cette cire
est appelée «concrète». Elle ne peut être utilisée telle quelle car elle
n'est pas soluble dans l'alcool.
Il faut donc un second procédé, celui de battre cette concrète avec de
l'alcool. L'alcool va absorber, prendre l'odeur et ensuite on va
éliminer la phase cire de la phase alcoolique.
À ce moment-là, on obtient un alcool parfumé. On va évaporer,
c'est-à-dire distiller cet alcool et l'on obtient un petit truc qui sera
«l'absolu». Ce produit peut être utilisé par les parfumeurs car il est
soluble dans l'alcool.
500 kg de fleurs = 1 000 heures de ramassage.
2 kg ou 2,5 kg de concrète donnent 600 g d'absolu.
600 g d'absolu coûtent 40 000 francs (environ 6 100 euros).
Les absolus sont utilisés par des nez qui ont à leur disposition plus
de 1 500 senteurs différentes. Tout le talent du parfumeur créateur sera
d'en associer certaines pour obtenir un produit original…

4. Les fiches pratiques

32. Enseigner l'histoire par les pratiques de l'oral

Niveau : B1.

Durée : 45 minutes.

Support : Extrait de l'émission *Des racines et des ailes*, ayant pour thème «La naissance du Paris moderne», présentée par Patrick de Carolis – première diffusion le 22 janvier 2003 sur FR3.

Objectif : Compréhension d'un documentaire télévisuel.

Matériel : Un tableau, un magnétoscope, l'enregistrement et la transcription du document vidéo.

Salle : Chaises et tables mobiles pour regroupement.

Remarques sur l'objectif

Partant de l'idée que l'on enseigne avec la langue quelque chose d'autre que la langue (l'histoire, la géographie et la culture en général) et que l'avenir de l'enseignement des langues vivantes prend de plus en plus cette direction, on inscrit cette activité dans le cadre d'une réflexion que la classe aura commencé à mener sur la ville, l'espace urbain, la comparaison des différents habitats.

Elle intervient en phase finale pour apporter une dimension historique à ce que les étudiants connaissent de la ville de Paris. Elle propose aussi une explication de l'architecture haussmannienne, perçue à l'étranger comme typiquement parisienne.

Remarques sur le support

On utilise, ici, ce support pour permettre l'accès à un contenu historique et culturel qu'il serait difficile d'aborder par d'autres procédés à ce niveau de leurs connaissances. Bien évidemment, la transcription ne saurait rendre toute la richesse du contenu de ce document vidéo, elle n'en témoigne d'ailleurs que d'une petite partie. Il est, pour cette raison, important que les exercices proposés à la classe prennent en compte le prélèvement d'indices visuels, aussi nécessaires à la construction du sens que les indices auditifs.

◼ DÉROULEMENT DE L'ACTIVITÉ

1. Présentation de l'activité, discussion

Introduire le travail en sollicitant un rappel de ce qui est connu, de ce qui a déjà été abordé en classe sur le thème de la ville, des immeubles, des appartements. Structurer ce contenu sous forme de discussion au cours de laquelle peuvent apparaître les éléments suivants :
– Dans Paris, le moderne et l'ancien sont mélangés.
– Il y a plusieurs centres historiques.
– Il n'y a pas de quartiers interdits à la circulation comme dans beaucoup d'autres villes.
– On trouve de nombreux jardins et espaces verts.

La discussion peut aussi porter sur les quartiers que l'on préfère, ceux qu'on aime le moins et le justifier. Puis sur les habitations et les structures habitables :
– Dans les vieux appartements, les plafonds sont très hauts.
– Il y a souvent une cheminée dans chaque pièce. Est-ce qu'elles sont en état de fonctionnement ?
– Un jour, j'ai vu dans un texte le mot « vestibule », qu'est-ce que c'est ?

Les étudiants prennent librement la parole, s'interrogent ou interrogent l'enseignant pendant quelques minutes.

2. Visionnement du document vidéo

Expliquer aux étudiants qu'ils vont regarder une vidéo qui explique la structure des immeubles et des appartements haussmanniens. Après l'avoir visionnée, les étudiants font, s'ils le désirent, des commentaires :
– C'est difficile de comprendre quand l'homme parle dans la rue.
– Il est très grand, cet appartement !
– La propriétaire semble très fière d'habiter là.
– Qu'est-ce que c'est vieux, dans la cuisine !
– C'est très cher de louer un appartement comme celui-là ?

3. Compréhension du document vidéo

Distribuer à chacun une feuille comprenant 20 questions portant sur le contenu du document et leur demander de les lire en silence avant de revoir la vidéo.

> 1. Quelles sont les caractéristiques des immeubles construits par le ***baron Haussmann*** ?
> 2. Combien d'étages comprennent ces immeubles ?

4. Les fiches pratiques

3. Quelle est la principale caractéristique de *l'appartement hauss-mannien* ?
4. De quelle couleur sont les murs de cet appartement ?
5. Quelle était la fonction du *petit salon* ?
6. Quels éléments de mobilier pouvez-vous relever ?
7. Quelle était la fonction du **grand salon** ?
8. Deux espaces permettaient aux hommes et aux femmes de se retrouver, lesquels ?
9. Que peut-on en conclure sur les relations entre les hommes et les femmes à cette époque-là ?
10. Quels meubles caractérisent *l'espace de réception* ?
11. Quelles remarques peut-on faire sur la décoration de cet appartement ?
12. Où menait *la porte dérobée* ?
13. Pourquoi l'appelait-on ainsi ?
14. Que remarquez-vous sur les murs du couloir qui tourne autour de l'escalier ?
15. Qu'est-ce que l'on peut constater dans la cuisine ?
16. Où menait *l'escalier de service* ?
17. Quelle impression vous donne-t-il ?
18. De quels édifices s'est inspiré *l'appartement haussmannien* ?
19. Qui habitaient ces appartements au XIXe siècle ?
20. Quels sont, d'après vous, les avantages et les inconvénients d'habiter actuellement un tel appartement ?

Remarques

On choisit un exercice plus simple si l'ordre des questions suit le fil du document. Mais on peut aussi opter pour des questions données dans le désordre, ce qui exige de l'étudiant un effort supplémentaire de concentration.

Choisir selon les compétences de l'ensemble des étudiants. Choisir aussi quelle part accorder aux informations émanant d'une compétence de compréhension verbale, sans oublier toutes celles qui découlent de l'observation des images et des impressions que l'on en reçoit. Ce second choix serait, bien sûr, plus adapté à une classe dont les compétences linguistiques s'avèrent plus faibles.

4. Correction des questions

Les étudiants se mettent ensuite en groupes et, en discutant, cherchent les réponses aux questions qu'ils écrivent chacun sur leur feuille.

Si un désaccord est constaté dans les réponses fournies, il est bon de revoir le document pour départager les étudiants, ce que l'on peut facilement faire puisque le document dure seulement 5 minutes.

Corrigé

1. Les façades doivent être en pierre. Les lignes doivent filer, c'est-à-dire que les immeubles doivent être alignés les uns sur les autres. Le premier immeuble construit dans une avenue sert de modèle aux autres car le permis de construire n'existe pas encore.
2. Six étages.
3. La distribution des pièces en enfilade (l'enfilade à la française), les pièces se suivent les unes après les autres. Il n'y a pas de couloir qui les sépare.
4. Ils sont de couleur crème.
5. Il était réservé aux femmes.
6. Une cheminée, un miroir au-dessus, un tapis devant, un radiateur, 5 abat-jour, une table de bureau avec une chaise en paille, un meuble de bureau, une bibliothèque murale, une autre bibliothèque basse, aux murs, tableaux et dessins, 2 grandes fenêtres, un grand tapis au centre de la pièce.
7. Il était réservé aux hommes.
8. L'espace de réception avant le dîner et la salle à manger.
9. Les hommes et les femmes n'avaient pas toujours les mêmes discussions, les mêmes occupations, les mêmes centres d'intérêt.
10. On y trouve de nombreux fauteuils, une table basse (de salon), un piano et son tabouret.
11. Il y a beaucoup de livres, beaucoup de tableaux aux murs, beaucoup de tapis. Les sols sont recouverts d'un parquet, sauf dans la cuisine. Chaque pièce comprend une cheminée, surmontée d'un miroir à l'encadrement doré qui contribue à agrandir l'espace visuel de l'ensemble. De nombreux abat-jour diffusent une lumière tamisée. L'ensemble donne une impression de douceur, de calme et d'atmosphère propice à la réflexion, à l'étude.
12. Elle conduisait aux espaces secondaires, c'est-à-dire aux lieux où les domestiques travaillaient.
13. Parce qu'elle ne devait pas se voir, elle était masquée par la peinture du mur. «Dérobée» signifie ici «cachée» à la vue.

4. Les fiches pratiques

14. Ils sont recouverts de livres.
15. Elle semble dater du XIXe siècle. On n'y remarque aucun appareil électroménager. Elle comprend en revanche une cuisinière à bois, des casseroles en cuivre qui pendent aux murs, des bûches de bois qui sont entassées sous la fenêtre, un sémaphore précieusement conservé, etc.
16. Aux chambres de service qu'on appelait aussi «chambres de bonnes».
17. Tout est gris. Les murs sont fissurés. Il semble laissé à l'abandon et produit un saisissant contraste avec l'excellent état de l'appartement.
18. De l'hôtel ou du château aristocratique du XVIIIe siècle.
19. Les bourgeois du Second Empire.
20. Réponse libre.

À cette phase, intervenir pour compléter, placer les informations dans un cadre conceptuel, donner les repères de cette période déterminante de l'histoire de France et pourtant généralement peu connue puisque complexe par sa grande instabilité politique:

Rappels historiques

1853-1870:	Georges Haussmann est préfet de la Seine.
1814 (22 juin):	Napoléon 1er abdique.
1814-1830:	Restauration et Second Empire.
1814-1824:	Louis XVIII.
1824:	Charles X.
1830:	La Révolution de Juillet instaure la Monarchie de Juillet.
1830-1848:	Louis-Philippe Ier devient «Roi des Français». Son régime est marqué par l'essor de la bourgeoisie possédante.
1848:	Les journées de février fondent la IIe République.
1848-1851:	D'abord fraternelle et démocratique (instauration du suffrage universel, liberté de la presse et de réunion), la IIe République évolue après l'insurrection ouvrière de juin 1848 vers le conservatisme, ce qui favorise l'ambition de Louis Napoléon Bonaparte, triomphalement élu président le 10 décembre 1848.
1851:	Par le coup d'état du 2 décembre, il instaure un régime présidentiel autoritaire.

1852-1870 :	C'est le Second Empire. Louis Napoléon Bonaparte est devenu Napoléon III (2 décembre 1852).
1871 :	Défaite de l'empire lors de la guerre franco-alle-mande, la IIIe République est proclamée.
1871-1944 :	IIIe République.
1944-1958 :	IVe République.
Depuis 1958 à nos jours :	Ve République.

LA TRANSCRIPTION DU DOCUMENT VIDÉO

(La scène se passe sur le boulevard de Sébastopol. Les interlocuteurs : l'architecte Pierre Rinon, la propriétaire de l'appartement, le journaliste qu'on ne voit pas car c'est l'œil de la caméra. J = le journaliste, A = l'architecte, P = la propriétaire.)

J : La façade haussmannienne, elle est forcément en pierre…

A : Oui, c'est une obligation qui figure dans l'acte de vente. C'est la manière finalement dont Haussmann légifère puisqu'il n'y a pas de loi à proprement parler.

J : Il n'y a pas de permis de construire à cette époque.

A : Le permis de construire viendra plus tard.

J : Donc là, on leur dit simplement : vous devez utiliser de la pierre pour les façades.

A : C'est ça. Quand les propriétaires achètent le terrain pour construire, on leur impose une pierre de taille, on leur désigne la carrière, en général dans les belles avenues comme celle de l'Opéra, on indique aussi que les lignes doivent filer, ce qui donne une certaine harmonie, une certaine homogénéité, une certaine monotonie pour ceux qui n'apprécient pas cette esthétique. L'idée d'Haussmann c'était : à partir du moment où on construit un immeuble dans une avenue, les immeubles suivants doivent le prendre comme modèle. C'est le modèle qui se répète et qui crée l'uniformité.

(Devant la porte d'un immeuble. L'architecte sonne à la porte.)

J : Là, on va chez une de vos amies qui habite au second étage.

A : Voilà.

J : Et c'est un immeuble haussmannien typique.

A : Fin du Second Empire, oui, tout à fait à la fin du Second Empire, peut-être même les premières années de la IIIe République mais ça n'a pas, ça n'a pas changé.

4. Les fiches pratiques

J: Donc 1870, 1875.

A: Autour de 1870, voilà, voilà, autour de 1870.

(L'architecte sonne à la porte d'un appartement du deuxième étage.)

P: Bonjour, Pierre. *(s'adressant à la caméra)* J'attire déjà votre attention sur quelque chose d'extraordinaire qui est cette sonnette d'origine.

J: On l'a vue en rentrant.

P: C'est un appartement dont le passé fait qu'on n'ose pas y toucher, on n'ose pas transgresser. Parfois on me dit: si tu repeignais tout en blanc, tu aurais… etc., mais moi je crois que je ne pourrais pas repeindre en blanc.

A: Tout le monde n'a pas vos scrupules…

P: Alors, ça c'est le petit salon originairement, donc pratiquement dans chaque pièce, vous avez quatre portes à doubles ventaux, celle-ci ayant été pour des raisons fonctionnelles un petit peu habillée.

J: L'enfilade à la française, on appelle ça.

A: Ah oui, c'est typiquement français. L'enfilade à la française permet d'avoir une vue qui s'enfile d'un bout à l'autre de l'appartement.

J: C'est-à-dire que tout communique et tout était censé communiquer.

A: Oui, c'est un héritage ce mode d'habiter, avec des distributions de pièces en enfilade, c'est un héritage de l'Ancien Régime, de l'habitat aristocratique et c'est une manière pour la bourgeoisie au fil du XIXe siècle et notamment sous la Second Empire de récupérer un mode d'habitation aristocratique.

J: C'est-à-dire que les bourgeois font comme les aristocrates.

A: Voilà, les bourgeois habitent à la manière aristocratique du XVIIIe siècle.

P: Donc, le petit salon était réservé pour les femmes, elles y tenaient salon pendant que les hommes se réunissaient dans le grand salon et on se rejoignait après dans la salle à manger en se donnant le bras.

J: Donc, là c'est l'espace de réception avant le dîner.

P: Avant le dîner, cette porte étant généralement fermée, la table étant mise ici de ce côté-là, la domesticité, enfin la domesticité entre guillemets, c'est peut-être pas un terme que j'affectionne mais… passait de l'autre côté donc on ne l'apercevait pas et on ouvrait effectivement ces portes-là pour rentrer dans la salle à manger.

J: Au moment du dîner, hommes et femmes se retrouvaient dans la salle à manger.

P : Donc là, on va rentrer par la petite porte dérobée qui mène aux espaces dits secondaires.

J : La petite porte dérobée parce qu'il ne fallait surtout pas que ça se voie.

P : Parce qu'il ne fallait pas que ça se voie. Là, nous allons donc accéder à la cuisine en passant par un couloir qui tourne autour de la cage d'escalier.

J : Au fond du couloir, il y a le personnel de maison.

A : Là on cale, on cale au maximum tout ce qui est service dans des espaces résiduels en quelques sortes, et des espaces qui ne se voient pas. On est vraiment très loin du salon ou de la salle à manger.

J : Donc là c'est l'escalier de service qui menait…

P : …aux chambres de service qu'on appelait chambres de bonnes. La domesticité descendait par là, accédait à cette pièce, travaillait dans cette pièce.

J : Si bien qu'on ne voyait jamais les domestiques dans les parties de réception.

P : Sauf quand on les appelait et, dans ce cas-là, sur l'écran du sémaphore, il y avait un petit sémaphore qui ne faisait pourtant pas de bruit parce qu'on voit dans les films tu sais, des sonnettes qui font du bruit mais ça, a priori, c'était sans bruit.

J : Mais ça s'allumait.

P : Ça s'allumait. Il fallait faire attention, regarder le sémaphore de temps en temps pour voir si on les appelait.

J : Il fallait avoir un œil sur le sémaphore.

A : À cette époque, il y avait un vrai ordre social qui correspondait à l'architecture de l'appartement haussmannien qui a été inventé dans l'hôtel ou le château aristocratique du XVIIIe siècle où il y avait déjà ces systèmes d'offices, de chambres de domestiques dans le grenier.

J : On a copié.

A : Là aussi, c'est une adaptation à l'immeuble bourgeois des pratiques sociales de l'Ancien Régime.

J : Donc le bourgeois veut devenir aristocrate et se paie un immeuble haussmannien dans le centre de Paris.

A : Voilà.

P : Oui.

4. Les fiches pratiques

33. Parler à propos d'un texte littéraire

Niveau :	A2.
Durée :	1h30 en classe (le texte doit être lu précédemment par les apprenants, chez eux).
Support :	Un extrait de *Celui qui n'avait jamais vu la mer,* nouvelle de Jean-Marie Gustave Le Clézio (extrait de *Mondo et autres histoires*, Gallimard, coll. Folio Junior, 1978).
Objectifs :	Analyser un texte littéraire pour en discuter en groupe.
Matériel :	Un tableau, des photocopies du texte et du questionnaire (phases 1 et 2), une biographie de J.-M. G. Le Clézio.
Salle :	Chaises et tables mobiles pour regroupement.

Remarques sur l'objectif

Il s'agit de faciliter la prise de parole à propos d'un texte littéraire, en faisant repérer des procédés discursifs. Les apprenants n'auront pas à répondre à la désespérante question «que pensez-vous de ce texte?» surtout en langue étrangère! Ainsi, même s'ils n'ont pas bien compris ou pas aimé le texte, ils parlent puisqu'ils ont à faire un rapport sur ce texte.

L'extrait choisi est assez court, pour permettre d'effectuer un travail achevé. Il se situe à un moment clé de la nouvelle de J.-M. G. Le Clezio pour provoquer la curiosité des apprenants.

■ DÉROULEMENT DE L'ACTIVITÉ

1. Préparation

Quelques jours avant l'activité prévue, distribuer l'extrait et demander aux étudiants de le lire à la maison. Préciser qu'il n'est pas nécessaire de chercher tous les mots inconnus dans le dictionnaire, car l'extrait est court et qu'ils en discuteront tous ensemble ultérieurement. Il s'agit donc de dédramatiser l'incompréhension et de privilégier une lecture indivi-duelle, la plus «naturelle» possible.

Il s'appelait Daniel, mais il aurait bien aimé s'appeler Sindbad, parce qu'il avait lu ses aventures dans un gros livre relié en rouge qu'il portait toujours avec lui, en classe et dans le dortoir. En fait, je crois qu'il n'avait jamais lu que ce livre-là. Il n'en parlait pas, sauf quelquefois quand on lui demandait. Alors ses yeux noirs brillaient plus fort, et son visage en lame de couteau semblait s'animer tout à coup. Mais c'était un garçon qui ne parlait pas beaucoup. Il ne se mêlait pas aux conversations des autres, sauf quand il était question de la mer, ou de voyages. La plupart des hommes sont des terriens, c'est comme cela. Ils sont nés sur la terre, et c'est la terre et les choses de la terre qui les intéressent. Même les marins sont souvent des gens de la terre ; ils aiment les maisons et les femmes, ils parlent de politique et de voitures. Mais lui, Daniel, c'était comme s'il était d'une autre race. Les choses de la terre l'ennuyaient, les magasins, les voitures, la musique, les films et naturellement les cours du Lycée. Il ne disait rien, il ne bâillait pas pour montrer son ennui. Mais il restait sur place, assis sur un banc, ou bien sur les marches de l'escalier, devant le préau, à regarder dans le vide. C'était un élève médiocre, qui réunissait chaque trimestre juste ce qu'il fallait de points pour subsister. Quand un professeur prononçait son nom, il se levait et récitait sa leçon, puis il se rasseyait et c'était fini. C'était comme s'il dormait les yeux ouverts.

Même quand on parlait de la mer, ça ne l'intéressait pas longtemps. Il écoutait un moment, il demandait deux ou trois choses, puis il s'apercevait que ce n'était pas vraiment de la mer qu'on parlait, mais des bains, de la pêche sous-marine, des plages et des coups de soleil. Alors il s'en allait, il retournait s'asseoir sur son banc ou sur ses marches de l'escalier, à regarder dans le vide. Ce n'était pas de cette mer-là qu'il voulait entendre parler. C'était une autre mer, on ne savait pas laquelle, mais d'une autre mer.

Ça, c'était avant qu'il disparaisse, avant qu'il s'en aille. Personne n'aurait imaginé qu'il partirait un jour, je veux dire *vraiment*, sans revenir. Il était très pauvre, son père avait une petite exploitation agricole à quelques kilomètres de la ville, et Daniel était habillé du tablier gris des pensionnaires, parce que sa famille habitait trop loin pour qu'il puisse rentrer chez lui chaque soir. Il avait trois ou quatre frères plus âgés qu'on ne connaissait pas.

4. Les fiches pratiques

Il n'avait pas d'amis, il ne connaissait personne et personne ne le connaissait. Peut-être qu'il préférait que ce soit ainsi, pour ne pas être lié. Il avait un drôle de visage aigu en lame de couteau, et de beaux yeux noirs indifférents. Il n'avait rien dit à personne. Mais il avait déjà tout préparé à ce moment-là, c'est certain. Il avait tout préparé dans sa tête, en se souvenant des routes et des cartes, et des noms des villes qu'il allait traverser. Peut-être qu'il avait rêvé à beaucoup de choses, jour après jour, et chaque nuit, couché dans son lit dans le dortoir, pendant que les autres plaisantaient et fumaient des cigarettes en cachette. Il avait pensé aux rivières qui descendent doucement vers leurs estuaires, aux cris des mouettes, au vent, aux orages qui sifflent dans les mâts des bateaux et aux sirènes des balises. C'est au début de l'hiver qu'il est parti, vers le milieu du mois de septembre. Quand les pensionnaires se sont réveillés, dans le grand dortoir gris, il avait disparu. On s'en est aperçu tout de suite, dès qu'on a ouvert les yeux, parce que son lit n'était pas défait. Les couvertures étaient tirées avec soin, et tout était en ordre. Alors on a dit seulement : « Tiens ! Daniel est parti ! » sans être vraiment étonnés parce qu'on savait tout de même un peu que cela arriverait. Mais personne n'a rien dit d'autre, parce qu'on ne voulait pas qu'ils le reprennent.

2. Discussion sur le texte (5 minutes)

Demander aux apprenants s'ils ont lu le texte, s'il était difficile, intéressant, ennuyeux, triste, etc. Laisser les apprenants qui le souhaitent s'exprimer sur le texte, mais pas trop longtemps.

3. Compréhension du texte (10-15 minutes)

Assez vite, poser une série de questions sur la mer et sur Sindbad pour créer une atmosphère propice à la compréhension du texte et du personnage principal. Partir du titre de la nouvelle : « Vous avez remarqué le titre de cette nouvelle ?/Et vous ? Est-ce que vous avez tous déjà vu la mer ?/Et Sindbad, qui est-ce ? ».

Distribuer alors le questionnaire à l'ensemble de la classe, et lire les questions pour s'assurer qu'elles soient toutes comprises. Puis répartir la classe en groupes de trois apprenants. Il est préférable de mêler les nationalités car les sensibilités sont différentes et cela favorise les commentaires oraux.

Les douze questions (élaborées en gros selon la grille de Quintillien) portent classiquement sur les personnages (qui ?), les circonstances de l'action (où et quand ?) et sur l'action elle-même (quoi ?). Elles sont regroupées en six séries de deux questions chacune :

Qui?

Groupe A

1. Quelles sont les personnes citées dans le passage?
2. Classez-les par ordre d'importance dans l'histoire (du plus important au moins important).

Groupe B

3. Faites le portrait physique et psychologique du personnage principal.
4. Qu'apprenons-nous sur sa famille?

Groupe C

5. Pourquoi Daniel est-il un élève médiocre?
6. Quel est son comportement dans la vie de tous les jours?

Où?

Groupe D

7. Citez les lieux évoqués dans l'histoire en les classant en lieux intérieurs et lieux extérieurs.
8. Choisissez le lieu le plus important pour l'histoire et expliquez pourquoi.

Quand?

Groupe E

9. Relevez les mots qui évoquent les différents moments de l'histoire et classez-les selon l'ordre chronologique.
10. Trouvez les différents temps utilisés dans le texte. Essayez d'expliquer pourquoi.

Quoi?

Groupe F

11. Que se passe-t-il exactement dans ce passage?
12. Donnez 3 ou 4 mots-clés pour cette histoire.

Votre avis?/Pour tous les groupes

13. Trouvez 3 ou 4 adjectifs (positifs et négatifs) pour donner votre avis sur cette histoire. Aimez-vous ce personnage?
14. À votre avis, pourquoi Daniel veut-il voir la mer et s'appeler Sindbad? Pourquoi les élèves n'ont-ils pas oublié Daniel?

Pour que le travail soit dynamique, chaque groupe choisit une seule série (groupe A, B, C, D, E ou F) plus la dernière série intitulée «votre avis?» traitée obligatoirement par tous. Bien évidemment, selon l'effectif et le niveau de sa classe, moduler cette répartition et ne choisir que les séries concernant les personnages et l'action, par exemple. L'idéal cependant serait six groupes de trois apprenants.

Passer dans les groupes pour préciser le sens des mots et répondre aux questions éventuelles des apprenants.

Préciser que chaque groupe doit répondre par écrit en établissant une liste des expressions qu'ils auront relevées dans le texte, mais que chaque membre du groupe doit écrire individuellement la liste commune pour faciliter la mémorisation.

4. Mise en commun

La mise en commun se fera oralement sous forme de questions/réponses, en deux parties :

Première partie
Un apprenant du groupe A choisit une question (du groupe B) qu'il pose à un apprenant du groupe B, ainsi de suite jusqu'à ce que toutes les réponses aient été données (sauf la série «votre avis ?»). Les réponses doivent être justifiées par des termes relevés dans le texte. Veiller à ce que chaque apprenant prenne la parole soit en questionnant, soit en répondant.

Deuxième partie
Elle est consacrée à l'approche plus subjective du texte, puisqu'il s'agit de demander aux apprenants quels adjectifs ils ont choisi pour caractériser le texte (cf. la série «votre avis ?»).

Intervenir alors pour expliciter, au fur et à mesure des réponses, les procédés de caractérisation (place des adjectifs, notation des couleurs et des formes, termes de comparaison, relatives adjectives) et de la narration (variété des temps du passé, connecteurs temporels). Ce travail «grammatical» devra être résumé au tableau.

Regrouper au tableau les adjectifs en les classant en 2 colonnes – appréciation positive et négative – pour fixer le vocabulaire, mais aussi pour mettre au jour le sentiment général de la classe et voir de quel côté elle penche. Là encore il est essentiel de donner la parole à chacun.

Remarques

Cette intervention linguistique de l'enseignant sera plus ou moins importante et complexe selon le niveau de la classe, l'essentiel étant de justifier le choix de l'auteur (par exemple, passage au présent ou au passé composé aux moments clés). Mais aussi de montrer aux apprenants que l'on commente un texte à partir des éléments qui le constituent et que cela peut se faire assez simplement. Si tout ce travail a pris trop de temps et que l'enseignant sent la fatigue des étudiants, il vaut mieux faire une pause entre les deux parties, elles sont suffisamment différentes pour le permettre.

5. Discussion

On essaie ensuite de comprendre pourquoi l'ensemble de la classe a été intéressé ou non par l'histoire de Daniel, en replaçant le texte dans des contextes généraux comme l'adolescence, la pension, la fugue, les différents types d'éducation. On peut aussi faire référence à l'expérience des apprenants s'ils ont vécu la même situation.

Prendre l'initiative en posant quelques questions («Daniel pourrait-il être japonais, espagnol, ou d'une autre nationalité?» «Vous fait-il penser à un autre personnage de roman ou de film?»…). Laisser s'installer une discussion informelle selon le désir et les capacités des apprenants. Si les apprenants ne souhaitent pas débattre, l'activité s'arrête là.

6. Pour aller plus loin...

Distribuer aux étudiants une biographie de J.-M. G. Le Clézio et leur conseiller la lecture de la nouvelle entière, afin de savoir ce qui est arrivé à Daniel. La curiosité de certains entraîne celle de tous. Cette activité peut se dérouler sur plusieurs séances.

34. Savoir dire un poème

Niveau: B1-B2.
Durée: 45 minutes.
Support: «Il pleure dans mon cœur», poème de Paul Verlaine, du recueil *Romances sans paroles*.
Objectif: Permettre aux apprenants d'améliorer leur prononciation à partir de sons acquis ($[\emptyset]$, $[\text{œ}]$, $[e]$, $[\varepsilon]$), acquérir la maîtrise du souffle, travailler sur la musicalité, la bonne diction, pour qu'ils soient capables d'apprendre le texte par cœur comme le ferait un natif français.
Matériel: Un tableau, un lecteur de CD/cassettes, des photocopies du poème.
Salle: Chaises et tables mobiles pour regroupement. Si possible, un laboratoire de langue.

■ DÉROULEMENT DE L'ACTIVITÉ

1. Présentation de l'activité

Expliquer aux étudiants qu'ils vont réutiliser les sons acquis dans les cours précédents (donc aller «du connu à l'inconnu»). Il y aura quatre étapes:
– la perception auditive (écoute du modèle);
– la discrimination (identification des différents sons et des groupes rythmiques);
– la reproduction (récitation vers par vers, strophe par strophe);
– la correction au laboratoire de langues (récitation du poème en entier, décodage du texte en transcription phonétique pour amener les apprenants à identifier leurs difficultés de prononciation et les corriger individuellement).

2. Perception auditive (5 minutes)

Présenter le poème en le lisant deux fois, avec la gestuelle adéquate. Ne pas forcer la voix, toutefois il faut avoir le souci permanent d'être un modèle (prononciation conforme au français standard). Les apprenants écoutent attentivement.

Remarques

L'objectif de cette activité étant de traduire la musicalité du texte, la mémoire auditive joue un rôle important. C'est pourquoi il faut enregistrer le cours sur magnétophone. Les apprenants pourront ainsi réécouter le texte dans une ambiance de confiance pour éprouver le besoin et le désir de s'exprimer.

3. Compréhension orale (5 minutes)

Comme, en français, l'intonation est liée au sens de la phrase, il est utile de faire une brève analyse des caractéristiques du texte. Faire découvrir aux apprenants qu'il s'agit d'un poème de quatre quatrains, contenant des vers courts «hexasyllabes», traduisant un sentiment de tristesse et de mélancolie de Verlaine.

4. Discrimination/identification des sons (15 minutes)

Les sons $[\emptyset]$ et $[\text{œ}]$ (déjà étudiés)

Réciter le poème vers par vers. Demander aux apprenants de relever tous les mots contenant les sons $[\emptyset]$ et $[\text{œ}]$. Demander à un ou des volontaires de les transcrire orthographiquement au tableau avec une craie blanche.

4. Les fiches pratiques

193

Transcrire ensuite, phonétiquement, ces mots avec une craie/un feutre rouge et souligner que «eu» se prononce différemment suivant son entourage contextuel. Faire découvrir aux apprenants le type de syllabe concerné (pleure, pleut, cœur, langueur, s'écœure, deuil...).

Pour mettre en valeur ces différents types de syllabe et en dégager des règles d'orthoépie (*ortho* [grec] = correct), présenter ensuite au tableau un schéma à double entrée qui aide à la conceptualisation.

Demander aux apprenants : «Quelles règles peut-on dégager sur l'identification des types de syllabes et de voyelles ?» Réponse (cas général) : quand la syllabe est ouverte, c'est-à-dire terminée par une voyelle prononcée, la voyelle est fermée ($[ø]$) ; quand la syllabe est fermée, c'est-à-dire terminée par une consonne prononcée, la voyelle est ouverte ($[œ]$). Les apprenants proposent un classement. Écrire avec une craie blanche (ou un feutre vert ou bleu) les syllabes ouvertes et avec une craie rouge/un feutre rouge les syllabes fermées.

Interroger un apprenant pour rappeler les exceptions de cette règle à la classe (cas de l'harmonisation vocalique, cas de l'assimilation régressive).

Les sons $[e]$ et $[ɛ]$ (déjà étudiés)

Demander ensuite aux apprenants de relever tous les mots contenant les sons $[e]$ et $[ɛ]$ (est, cette, pénètre, terre, quelle, haine, peine, raison, et s'écœure). Demander à un ou des volontaires de les transcrire orthographiquement au tableau avec une craie blanche. Transcrire phonétiquement ces mots avec une craie rouge. Souligner que «e» se prononce différemment suivant son entourage contextuel et faire découvrir aux apprenants le type de syllabe concerné.

Demander ensuite : «Quelles règles peut-on dégager sur l'identification des types de syllabes et de voyelles ?» Réponse (cas général) : quand la syllabe est ouverte, c'est-à-dire terminée par une voyelle prononcée, la voyelle est fermée $[e]$; quand la syllabe est fermée, c'est-à-dire terminée par une consonne prononcée, la voyelle est ouverte $[ɛ]$. Les apprenants proposent un classement. Écrire avec une craie blanche (ou un feutre bleu ou vert) les syllabes ouvertes et avec une craie rouge/un feutre rouge les syllabes fermées.

5. Étude des groupes syllabiques (5 minutes)

Comptage du nombre de syllabes

Rappeler que, en poésie, contrairement au langage courant, le $[ə]$ est prononcé à la fin d'un mot si le mot suivant commence par une consonne :
– pleure (l. 1)
– cette (l. 3)

– pleure (l. 9)

– nulle (l. 11)

– pire (l. 13)

Rappeler également que le [ə] n'est pas prononcé à la rime.

6. Étude des groupes rythmiques (5 minutes)

Rappeler que la parole est un continuum. Une connaissance parfaite des sons isolés est alors insuffisante. Un exercice de rythme aide à mémoriser le texte. Les apprenants éprouvent un plaisir à répéter des vers avec l'intonation juste. En maîtrisant les courbes mélodiques de phrases typiquement françaises, ils situent mieux leurs fautes. En transcrivant phonétiquement le texte, les apprenants essaieront d'identifier leurs difficultés de prononciation sur les sons déjà étudiés.

7. Reproduction (7 minutes)

Le texte sera appris en classe par répétition collective vers par vers, strophe par strophe. Distribuer ensuite le texte. Le poème sera appris par cœur à la maison. À la prochaine séance, les apprenants s'enregistreront au laboratoire de langue ou quelques volontaires réciteront le poème devant la classe.

4. Les fiches pratiques

35. Enseigner la littérature par les pratiques de l'oral

Niveau:	B1.
Durée:	40 minutes.
Support:	Un texte écrit sur une feuille dont la longueur ne devra pas dépasser le contenu d'une page A4 (ici la traduction d'un enregistrement fait par Krishnamurti en 1983).
Objectif:	Compréhension orale par la lecture d'un texte littéraire.
Matériel:	Des photocopies du texte.
Salle:	Chaises et tables mobiles pour regroupement.

Remarques sur l'objectif

Cette activité propose de sensibiliser les étudiants aux mécanismes de la compréhension. Il s'agit de leur montrer que le sens de ce qui a été entendu va se construire sur des indices qu'on leur demande de prélever à partir de leur écoute. Leur montrer aussi qu'ils sont les principaux acteurs de la construction du sens. Le travail en groupes permettra une confrontation (ils devront se mesurer les uns aux autres) et un échange (ils devront s'aider mutuellement) dans un projet commun.

Remarques sur le support

Le choix du texte est très important car seule sa lecture à haute voix servira de point de départ à l'activité. On enseigne toujours autre chose avec la langue, la culture, la sensibilité au monde…

On a donc choisi d'illustrer cette démarche par un texte littéraire voire philosophique, pouvant faire l'objet de multiples interprétations.
Il nous semble beau, simple et profond à la fois.

Tiré des œuvres de Krishnamurti, il a comme origine un enregistrement fait par l'auteur lui-même chez lui à Pine Cottage dans la vallée d'Ojai en Californie. Il se présente sous forme descriptive avec une progression reposant sur des repères simples d'écoute (le matin, le midi, le soir). Le thème de la description est un arbre. Thème présentant une symbolique riche et universelle, il ne manquera pas de motiver les étudiants car pour tous il représentera quelque chose. Il sera peut-être lié à leur vie quotidienne (rapport aux jeux dans les arbres, à la nature, à des préoccupations écologiques) ou peut-être prendront-ils ce thème à un niveau plus abstrait. Il est, en effet, symbole de vie, symbole des rapports qui s'établissent entre le ciel et la terre. Il n'est pas sans rapport avec le temps : les feuillages persistants évoquent l'immortalité. Mais les feuillus qui se dépouillent et se recouvrent chaque année de feuilles sont symboles de mort et aussi de régénération, de renaissance.

■ DÉROULEMENT DE L'ACTIVITÉ

1. Présentation de l'activité

Informer la classe qu'elle aura à effectuer un travail de compréhension d'un texte lu et, après deux écoutes, une mise en commun en groupes de certains éléments saisis dans le texte. Pour finir, chaque groupe devra formuler ce qu'il aura retenu du document entendu.

2. Lecture du texte

Lire deux fois le texte. Consigne orale : « Je vais vous lire 2 fois un texte. Vous allez écouter tranquillement une première fois. Vous pouvez aussi fermer les yeux si vous voulez. »

LA TRANSCRIPTION DU TEXTE

L'arbre

Il y a un arbre près du fleuve, et, pendant plusieurs semaines, jour après jour, nous l'avons observé, alors que le soleil était sur le point de se lever. Lentement, le soleil vient, ses rayons passent par-dessus les bois qui ferment l'horizon, et notre arbre, soudain, devient doré. Toutes ses feuilles se mettent à briller de vie ; les heures passent, et pendant que vous regardez cet arbre – dont le nom importe peu, car ce qui compte c'est sa beauté – pendant que vous le regardez, une qualité extraordinaire s'étend à toute la campagne et sur le fleuve. Le soleil monte encore un peu et toutes les feuilles de l'arbre commencent à frémir, à danser. Chaque heure du jour semble lui apporter une qualité nouvelle. Avant le lever du soleil, il a quelque chose de sombre, de tranquille, de lointain, d'une très haute dignité. Puis le jour commence, les feuilles touchées par la lumière se mettent à danser, éveillant ce sentiment particulier qu'apporte une grande beauté. À midi, son ombre se fait plus dense et vous pouvez vous y asseoir à l'abri du soleil. Jamais vous ne vous sentez seul, car vous

---

avez la compagnie de l'arbre. Pour vous, qui êtes dans son ombre, il y a cette relation de sécurité durable et profonde, cette relation de liberté que seuls peuvent connaître les arbres.

Le soir vient, le couchant s'illumine, et l'arbre, peu à peu, redevient obscur et sombre, il se referme sur lui-même. Le ciel est rouge, jaune, vert, mais l'arbre reste calme, il s'est caché, il commence son repos de la nuit. À ce moment, si vous prenez contact avec lui, vous êtes en relation avec l'humanité.

Remarques

La nature poétique de ce texte et les images qu'il évoque trouveront une plus profonde résonance si l'étudiant ferme les yeux car on l'invite dans un ailleurs que la classe et aussi à réfléchir sur lui-même, à se poser les grandes questions de l'existence. Partir toujours d'eux-mêmes est la meilleure chance de réussir.

3. Réactions au texte

Après cette première lecture, laisser les apprenants s'exprimer librement et spontanément, s'ils le désirent. Ils font parfois quelques remarques, mais pas toujours. En revanche, ils font toujours un grand sourire parce qu'ils sont détendus et amusés d'avoir eu l'autorisation de fermer les yeux en classe ! À cette étape, l'ambiance de la classe est sereine, le travail de concentration peut véritablement commencer.

4. Compréhension du texte

Demander aux apprenants de former quatre groupes, en se plaçant avec ceux qui ne sont de même origine que la leur. Donner pour chacun d'eux un objectif d'écoute différent :

– le groupe 1 doit relever et écrire, comme il le peut, cinq mots qu'il ne comprend pas (cinq ensembles sonores problématiques). Exemples : *flémire, opscuré, lointin, capo, opsqurisorble* ;

– le groupe 2 relève 5 à 10 noms. Exemples : l'arbre, le fleuve, la semaine, le soleil, le bois, l'heure, la qualité, la campagne, la relation, l'humanité ;

– le groupe 3, relève 5 à 10 mots donnant une idée de lumière, d'absence de lumière et de couleur. Exemples : soleil, rayons, doré, lumière, le soir, sombre, jaune, rouge, vert, l'ombre ;

– le groupe 4 relève 5 à 10 éléments établissant une chronologie temporelle. Exemples : pendant, jour après jour, lentement, soudain, chaque heure du jour, avant le lever du soleil, puis, à midi, le soir, peu à peu.

5. Troisième lecture et mise en commun

Lire une troisième fois le texte. Après cette troisième lecture, les apprenants doivent dans chaque groupe mettre en commun et compléter chacun leur propre liste. Au cours de la discussion, ils comparent, donnent leur avis, justifient leurs choix. Passer d'un groupe à l'autre et encourager les échanges.

6. Réinvention du texte

Demander aux étudiants de se séparer pour reformer quatre groupes différents dans lesquels il y aura au moins un représentant de l'ancien groupe 1, 2, 3, 4. Chaque nouveau groupe comprend donc au moins une personne avec la liste sur les mots non compris, une personne avec la liste des noms, une personne avec la liste des couleurs, et une personne avec la liste des mots liés à la temporalité.

À ce moment-là, chaque groupe travaille à associer les corpus ainsi obtenus qui seront les seuls indices concrets et palpables d'un oral fugitif (celui de la lecture entendue), qu'on propose à la classe de réinventer par cet exercice. Consigne orale du professeur : « Peu importe si vous redites le texte dans un autre ordre, peu importe si ce que vous dites s'éloigne du texte de départ. Essayez de faire pour le mieux. »

Exemple de texte produit par un groupe :

Près d'un fleuve se trouve un arbre et pendant une semaine, jour après jour, nous avons observé le soleil qui se levait et se couchait sur la campagne.

Avant le lever du soleil, tout est calme, obscur et lointain. C'est d'une très grande dignité.

Puis, les rayons apportent une lumière dorée aux feuilles qui commencent à frémir et à danser. C'est d'une grande beauté.

À midi, vous pouvez vous asseoir à l'ombre de l'arbre et vous vous sentez en sécurité.

Le soir, le ciel est rouge, jaune, vert, mais l'arbre se cache dans son ombre et commence à se reposer. Pour lui, peu à peu, c'est déjà la nuit.

À ce moment-là, près de lui, vous êtes en relation avec l'humanité.

Remarques

Il conviendra, pour cette activité, de ne travailler qu'à partir des productions des étudiants. Le texte de Krishnamurti devra être mis de côté dès la fin de la seconde lecture.

Accepter toutes les réponses données par les étudiants car cela permet de savoir ce qui se passe dans leur tête et aussi d'évaluer la distance entre le document et la manière dont il est compris. Cela permet aussi d'évaluer le travail à faire avec la classe.

Au cours des formulations, s'arrêter sur les fautes entendues pour inviter l'étudiant à se corriger lui-même et, si ce dernier n'y arrive pas, demander le concours des autres.

Cette activité présente l'avantage que tout le monde se trouve en situation de parler à tout le monde puisque les groupes se forment et se reforment.

7. Pour aller plus loin...

Demander à chaque groupe de rédiger un texte. La séance suivante pourra porter sur la comparaison des quatre productions écrites (toujours sans tenir compte du texte de Krishnamurti).

Pour aller plus loin dans l'étude du thème de l'arbre, on conseille le livre de Jean Giono, *L'homme qui plantait des arbres*, collection Folio Cadet, Éditions Gallimard Jeunesse, 1998, que l'on peut trouver illustré et accompagné de l'enregistrement sur cassette du texte lu par Yves Rénier. Ce même exercice peut se faire, entre autres, à partir d'un passage de l'enregistrement du texte de Jean Giono. Les éléments à relever par l'étudiant dans la phase d'écoute peuvent varier selon les types de documents et les intérêts pédagogiques de l'enseignant. On aura compris que leur rôle principal est de mettre en évidence le processus de compréhension globale.

36. Faits divers

Niveau:	B1-B2.
Durée:	1 heure.
Support:	Un ou plusieurs articles de presse relatant des fais divers (ici, trois faits divers très courts parus dans le journal *Metro* le 5 janvier 2004).
Objectif:	Comprendre un article de presse, l'analyser et présenter un fait divers (l'expression de la cause et de la consé-quence, l'utilisation du passif, les temps du passé).
Matériel:	Un tableau, un lecteur de CD/cassettes, des photocopies des articles de presse.
Salle:	Chaises et tables mobiles pour regroupement

■ DÉROULEMENT DE L'ACTIVITÉ

1. Le vocabulaire des faits divers

Demander aux étudiants ce qu'est un fait divers (une nouvelle qui concerne une catastrophe, un vol, un crime, un accident…). Introduire le thème en lisant et écrivant au tableau les titres et les sous-titres du journal du jour pour montrer que le titre résume à lui seul l'essentiel des infor-mations. Demander aux étudiants d'expliquer les deux premiers titres en les développant par des phrases complètes. Faire le même exercice avec d'autres titres pour faire découvrir le vocabulaire que les apprenants retrouveront à la lecture des articles de presse et dont ils auront ensuite besoin pour l'expression orale qui suivra:

Vocabulaire des faits divers

L'événement
Un incendie, une catastrophe, une explosion, une agression, un cam-briolage, un accident, une collision, un sinistre.

Les actions
Avoir lieu, se produire, se déclarer, rechercher, arrêter, faire des dégâts, endommager, évacuer un lieu, transporter à l'hôpital, voler, dérober.

Les verbes indiquant la cause et la conséquence
Causer, provoquer, être dû à, entraîner.
Les protagonistes
Un individu, les pompiers, les secours, une ambulance, la police, les voisins, un blessé, une victime, un mort, un automobiliste.

2. Lecture et compréhension des documents (10 minutes)

Écrire une grille de lecture au tableau, qui permettra aux étudiants d'avoir une compréhension globale des documents :

De quel événement s'agit-il ?
Où cela s'est-il passé ?
Quand cela s'est -il passé ?
Quelle est la cause de l'événement ?
Quelles sont les conséquences de l'événement ?

Distribuer les articles et demander aux étudiants de lire chacun à leur rythme sans s'effrayer des mots inconnus qu'ils rencontreront. Leur demander de se mettre par groupes de trois ou quatre et de répondre ensemble aux questions de compréhension globale.

LES ARTICLES DE JOURNAUX

Incendie dans une maison de retraite

Sept personnes ont été légèrement intoxiquées dans l'incendie d'une maison de retraite, hier matin, dans le IXe arrondissement. Le feu s'est déclaré au 3e étage d'un immeuble appartenant à la Ville de Paris et qui abrite 67 personnes. Le sinistre a eu pour origine l'oubli d'une casserole sur une plaque électrique par une nonagénaire. Trente occupants de l'immeuble ont été évacués et cinq d'entre eux provisoirement relogés dans un hôtel.

Quarante blessés dans les Yvelines

Une quarantaine de personnes ont été légèrement blessées, hier matin, dans des accidents de la circulation ou dans des chutes à cause du verglas. Selon les pompiers, 28 personnes ont été blessées dans des accidents de la circulation et une dizaine de piétons lors de chutes sur des trottoirs verglacés. (AFP)

Explosion au lycée de Montgeron

Essonne. Une explosion, probablement criminelle, a endommagé, dans la nuit de samedi à dimanche, le gymnase du lycée de Montgeron, sans faire de blessés. L'explosion s'est produite près de la porte, brisant les vitres du bâtiment sans toutefois ébranler les murs. Le gymnase, isolé au milieu d'un parc et de bois, est souvent la cible de tags et de dégradations. (AFP)

Un couple agressé à son domicile

Val-de-Marne. Un commerçant et son épouse ont été agressés, samedi matin, à leur domicile de Chevilly-la-rue, par deux individus encagoulés et armés qui les ont menacés, ligotés et qui leur ont dérobé 3 000 euros en espèces, des cartes bancaires et une Mercedes. L'enquête a été confiée au service départemental de police judiciaire du Val-de-Marne. (AFP)

3. Mise en commun

Mettre en commun les réponses et corriger les erreurs d'expression. Expliquer à ce moment seulement le vocabulaire qui n'aurait pas été compris.

Éléments culturels

Si vous avez le temps, parler de Paris (lieu des faits divers), situer les différents arrondissements de la capitale, puis situer Paris dans la région Île-de-France avec les départements limitrophes de Paris : Les Yvelines (78) au sud est, L'Essonne (91) au sud, Le Val-de-Marne (94) à l'est, La Seine-Saint-Denis (93) au nord et Le Val-d'Oise (95) à l'ouest.

Cette localisation pourra permettre de revoir la localisation dans l'espace et les prépositions : «dans le 9e arrondissement», «dans les Yvelines», «En Seine-Saint-Denis», «en Île-de-France».

4. Activité orale

Demander aux étudiants de travailler en groupes de trois ou quatre et de présenter oralement un fait divers en utilisant le schéma de la grille de lecture précédente. Le thème du fait divers est libre. Il s'agit de trouver un titre, un sous-titre et de présenter le fait, le lieu, le temps, les causes et les conséquences, tout en utilisant le passif. (15 minutes)

Au terme de cette préparation, deux ou trois étudiants par groupe prennent la parole pour présenter le fait divers devant les autres, face à eux comme cela se passe au cours d'un journal télévisé. Après chaque bulletin d'information, indiquer les erreurs et faire une correction interactive en demandant au groupe qui a présenté l'information la correction, mais aussi aux autres, si la correction n'a pas pu être faite. (10 minutes)

37. Présenter un livre d'après son titre

Niveau :	B1.
Durée :	1 heure.
Support :	Des couvertures de quelques livres, un résumé de *La Petite Pierre de Chine* de Janine Teisson (Actes Sud 2002).
Objectif :	Faire appel à l'imagination pour faire une courte présentation d'un livre à partir de son titre et de sa couverture. L'emploi des pronoms relatifs et/ou le passif.
Matériel :	Un tableau, des photocopies des couvertures de quelques livres (en couleur si possible).
Salle :	Chaises et tables mobiles pour regroupement.

Remarques sur le support

Choisir des titres assez simples, des livres pour les enfants comme, par exemple, *Le Ballon rouge, Une nuit, un chat..., Le Balai magique, Cinq milliards de visages, Ne m'appelez plus jamais «mon petit lapin», Les malheurs d'Arlette la chouette...*

■ DÉROULEMENT DE L'ACTIVITÉ

1. Présentation et mise en route (10 à 15 minutes)

Demander aux étudiants comment ils choisissent les livres qu'ils lisent : le titre est-il important, la couverture du livre, la quatrième de couverture, les critiques ? Cette discussion sera très libre.

Puis, présenter un court résumé d'un conte intitulé *La Petite Pierre de Chine*, figurant sur la couverture du livre.

> **LE TEXTE DU RÉSUMÉ**
>
> Il y a un moment dans la vie où l'on doit quitter ses parents pour mener sa propre existence, vivre ses propres expériences. C'est ce que doit faire la petite pierre de Chine qui vit entre deux gros rochers Paah et Maah. Elle vit là depuis des milliers d'années jusqu'au jour où, au

cours d'un tremblement de terre, la petite pierre se détache, roule et s'élance dans le vide. À partir de ce moment-là, elle ira de découverte en découverte : la nature, les humains, la tristesse, la beauté et encore une foule de choses.

C'est un conte philosophique qui donnera envie aux jeunes lecteurs de se lancer dans la vie.

Après la lecture du texte, expliquer éventuellement le vocabulaire qui n'aurait pas été compris et demander comment sont caractérisés la vie, la petite pierre, dans ce conte. Ceci, afin de faire remarquer la présence de propositions relatives et des pronoms relatifs « où », « que », « qui ».

Faire ensuite remarquer les différentes parties de ce petit commentaire : il commence par la présentation du personnage principal, du héros, de sa vie, puis d'un changement de celle-ci et de découvertes ultérieures, pour se terminer par une invitation aux lecteurs. Il faut bien sûr donner envie de lire ce livre, c'est l'objectif de ce genre de commentaire.

2. Préparation des textes de présentation (25 minutes)

Distribuer les photocopies des couvertures des livres choisis. Expliquer les titres les plus difficiles. Puis, proposer aux étudiants de former des groupes de trois ou quatre et demander à chaque groupe de choisir un livre.

Lorsque chaque groupe aura fait son choix, demander de préparer un texte de présentation pour chaque livre. Le texte de présentation de chaque livre doit suivre le schéma du texte de départ et comporter des propositions relatives commençant par « qui », « que », « où » et éventuellement « dont », si ce relatif est déjà connu. Insister, aussi, sur la caractérisation par des adjectifs et demander de les varier pour présenter les livres en question (un livre peut être intéressant, magnifique, passionnant, merveilleux, instructif, illustré…). Il faudra enfin être convaincant afin de donner envie d'acheter le livre.

3. Présentation des livres (10 minutes)

Un étudiant de chaque groupe présente oralement le livre aux autres groupes. On peut aussi envisager de faire travailler le passif lors de cette activité en parlant par exemple de l'auteur et de l'édition, de la date de parution. Exemple : « Ce livre a été écrit par Peter Spier, il a été publié aux éditions L'école des loisirs. Il a été récompensé par le prix de la littérature jeunesse en 2003… »

Écouter les différents commentaires et noter les erreurs qui auront été commises. Veiller à ce que les consignes soient respectées.

Après avoir écouté chaque commentaire, demander au groupe concerné et aux autres étudiants comment les corriger. Puis, leur demander quel livre ils auraient envie de lire, quel est celui qui les attire le plus et pourquoi.

En général, cette activité se passe très bien et les productions des étudiants sont pleines d'imagination, leur créativité est stimulée et les commentaires sont applaudis.

Il est évident que l'on peut faire faire la même activité avec d'autres types d'ouvrages.

38. Expliquer une publicité

Niveau : B1.
Durée : 45 minutes.
Support : Une publicité (ici, une publicité pour Folio).
Objectif : Comprendre une publicité en la reliant à son contexte socio-culturel.
Matériel : Un tableau, des photocopies de la publicité et des questions de compréhension (phase 1).
Salle : Chaises et tables mobiles pour regroupement.

Remarques sur l'objectif et le support

L'objectif de cette activité est de faire parler les apprenants à partir d'une image, d'une publicité dont le message n'apparaît pas d'emblée. Ils vont devoir discuter entre eux, faire des hypothèses, puis les vérifier ensemble et avec le professeur.

La publicité choisie fait appel au vécu des apprenants, les fait réagir et en appelle à leur expérience, en France ou dans leur pays, dans la mesure où ils peuvent s'identifier à la personne assise dans ce café.

Le décryptage du rapport entre l'image et l'écrit leur permettra en même temps d'acquérir du vocabulaire.

▓ DÉROULEMENT DE L'ACTIVITÉ

1. Présentation de l'activité et préparation (20 minutes)

Consigne orale : « Aujourd'hui, nous allons expliquer et commenter une publicité parue dans le magazine *Elle*. Vous allez vous mettre par groupes et ensemble, vous allez discuter et essayer de répondre aux questions posées à propos de cette publicité. Puis nous mettrons en commun vos réponses ; une personne par groupe donnera les réponses que vous aurez faites. Je vous explique le sens du verbe « bourlinguer » : c'est voyager beaucoup et tout le temps (mot dérivé de « bourlingue », petite voile en haut du mât d'un bateau, d'où : « avancer contre le vent »). »

Distribuer la publicité et la liste de questions.

4. Les fiches pratiques

Que serait une vie sans histoires ?

Partout, tout le temps.

1. Où se trouve la « scène » ?
2. Quels objets figurent sur la publicité ?
3. Qui est la personne que l'on ne voit pas sur la photo ?
4. À qui s'adresse cette publicité ?
5. (a) D'après vous, que veut dire la question en haut de page ? (b) Comment répondriez-vous à la question ? (c) Que peut-on faire partout et tout le temps (voir la phrase en bas de page) ?
6. Quel est le lien entre la question, l'image et la phrase « partout, tout le temps » ?

Passer dans les groupes pour expliquer certains mots dont les étudiants auront besoin pour décrire l'image. Par exemple : une trousse, une pince à dessin, un pot de lait, un pull marin en coton. Toutefois, ce n'est pas toujours nécessaire et peut être fait à l'issue du travail en groupes au moment de la mise en commun.

2. Mise en commun (25 minutes)

Consigne orale : « Maintenant, nous allons mettre en commun vos réponses et nous les compléterons ensemble. »

Corrigé

1. La « scène » se trouve dans un café ou dans la partie café d'un café-restaurant, car on aperçoit des tables disposées qui se reflètent dans la glace.

2. Sur la table de bistrot se trouvent une tasse de café, un express, avec des morceaux de sucre dans la soucoupe. Il y a aussi un pot de lait et une trousse d'où dépassent des crayons (crayon noir, crayons de couleur) et une pince à dessin. Un livre est ouvert sur la table et posé à l'envers.

Tout ceci montre que la personne qui était assise était en train de lire au moment où elle a quitté la table (on est dans l'action). À côté de la table, une chaise et, sur le dossier de celle-ci, un pull en coton rayé blanc et rouge (un pull marin).

3. Ces détails que nous venons de voir permettent de penser que c'est quelqu'un de jeune qui était assis là en train de lire, peut-être un(e) étudiant(e) (présence d'une trousse, le café, qui est une consommation bon marché, le pull sur la chaise, le livre de poche).

4. Cette publicité s'adresse à tous ou plus particulièrement aux jeunes gens.

5a. La question a un double, sinon un triple, sens. Il faut comprendre les différents sens du mot « histoire » :
– les événements du passé (ex : l'histoire de France) ;
– un conte, un récit de fiction (ex : « Je vais te raconter une histoire et tu t'endormiras » [un père à son fils]) ;
– des mensonges (ex : « Ne me raconte pas d'histoires ! Dis-moi la vérité ! ») ;
– des problèmes (ex : « C'est quelqu'un qui fait toujours des histoires ! ») ;
– un événement surprenant, incroyable (ex : « Quelle histoire ! »).

b. Que serait une vie sans histoires ? Ce serait une vie monotone, triste, sans imprévus, sans « aventures ».

c. On peut penser, on peut rêver, on peut lire.

6. C'est une publicité pour Folio, une collection de livres de poche, donc que l'on peut emporter partout et tout le temps : dans le bus, dans le métro, en voyage. (Cette collection fait partie de la maison d'éditions Gallimard.) On voit mieux maintenant le lien entre la première phrase, le livre (*Bourlinguer*) situé au centre de l'image et la phrase « Partout, tout le temps ». Quand on lit, on lit des histoires ; une vie sans lectures serait monotone ; lire permet de voyager partout et tout le temps. C'est facile avec un livre de poche et lire permet d'échapper au quotidien, de ne plus être « ici » et « maintenant ».

Remarques

On peut donner quelques informations sur l'écrivain français d'origine suisse, Blaise Cendrars (1887-1961). Il a exercé de nombreux métiers et a effectué d'innombrables voyages dans toutes les parties du monde. Il a écrit le récit *Bourlinguer* en 1948 et un recueil de poèmes, *Pâques à New-York*, en 1912, entre autres.

3. Pour aller plus loin...

Il est possible de continuer ce travail en demandant aux étudiants de choisir une publicité qui leur a plu et de l'expliquer de la même manière pour le cours suivant.

39. Mon prénom, c'est moi

Niveau : A1-B2.
Durée : 45 minutes.
Support : Aucun.
Objectif : Se présenter.
Matériel : Un tableau.

■ DÉROULEMENT DE L'ACTIVITÉ

1. Choix des mots

L'objectif de cette phase est de choisir les mots qui seront, dans une seconde phase, mis en texte.

Demander aux apprenants d'écrire leur prénom à la verticale en lettres majuscules et, pour chaque lettre, de choisir un mot pour se présenter : description physique, origine, goûts, activités… (Consigne : «Écrivez votre prénom à la verticale et, pour chaque lettre, choisissez et écrivez un mot pour vous présenter : physique, nationalité, goûts, activités… Voici, pour exemple, ce que je fais à partir de mon prénom…») Écrire au tableau votre prénom à la verticale et les mots choisis.

2. Mise en commun

Expliquer que chaque étudiant va lire sa liste de mots et que les autres, à l'oreille, vont découvrir son prénom. Ensuite, l'apprenant expliquera pourquoi ces mots. (Consigne : «Maintenant que vous avez écrit vos mots, dites-les et les autres vont découvrir votre prénom. Après, vous direz pourquoi vous avez choisi chaque mot pour vous présenter et les autres pourront, s'ils le souhaitent, poser des questions.»)

Remarques

À ce stade, comme la consigne est assez complexe, les apprenants restent souvent perplexes. Leur proposer un exemple, partant de vous, et leur expliquer le choix de vos mots (voir ci-dessous) : «"F" comme "française" parce que c'est ma nationalité…» L'explication des mots choisis est adaptée au niveau des apprenants. Ce passage explicatif par l'oral guide implicitement l'apprenant dans la deuxième phase.

4. Les fiches pratiques

3. Rédaction d'un texte

Demander aux étudiants de rédiger un texte de présentation en mettant en phrases ce qui a été dit à l'oral. (Consigne : « Vous allez maintenant écrire un texte à partir de ces mots, pour vous présenter. ») Donner un modèle adapté au niveau des apprenants. Ceci les incite ensuite à produire un « vrai » texte. Le modèle qui suit est adapté au niveau A2.

FRANÇAISE
RÊVE
AMIS
NAGER
CHANTER
OUEST
ILE
SEINE
ETRANGER

Je suis de nationalité française. Mon rêve est de vivre au bord de la mer. Mes amis sont très importants pour moi, c'est un peu ma deuxième famille. J'adore nager, mais dans la mer, et chanter aussi, chez moi ou à tue-tête en pleine nature. Je viens de l'ouest de la France, d'un village où, depuis la plage, je vois deux îles. Pour aller au travail, je traverse la Seine et je retrouve mes étudiants étrangers.

---

40. Jouons avec la prononciation des lettres de l'alphabet

Niveau :	A2.
Durée :	40 minutes.
Support :	*LNAHO*, chanson de Michel Polnareff.
Objectif :	S'approprier un nouveau code écrit.
Matériel :	Un lecteur de CD/cassettes, l'enregistrement de la chanson, des photocopies du texte.
Salle :	Chaises et tables mobiles pour regroupement.

Remarques sur la salle

Cette activité est également possible en laboratoire de langue.

■ DÉROULEMENT DE L'ACTIVITÉ

1. Découverte d'une écriture « codée »

Écrire au tableau le titre de la chanson LNAHO et demander aux étudiants de le lire à voix haute. (« Voici le titre de la chanson. Lisez-le à voix haute. Est-ce que cela a un sens ? »)

Remarque

À ce stade, les apprenants repèrent facilement le prénom Elena. S'ils ont du mal à traduire HO, les aider en prononçant la phrase plusieurs fois.

2. Écoute de la chanson

L'objectif de cette étape est d'écrire le texte codé de la chanson.

Annoncer aux apprenants qu'ils vont écouter la chanson et qu'ils devront, par groupes de quatre, en écrire une partie en lettres. Auparavant, leur dicter deux ou trois phrases de la chanson (LNA AOTCO/LHO LHO O LNA/LCACBC O LNA) et leur demander de les écrire en lettres. (« Vous allez maintenant écouter la chanson. Toutes les paroles s'écrivent en lettres. Mettez-vous par groupes de quatre pour écrire les paroles en lettres. Le groupe 1 écrira le début ; le groupe 2, la suite, etc., à mon signal.

Mais avant, voici des phrases de la chanson : LNA AOTCO/LHO LHO
O LNA/LCACBC O LNA. Écrivez-les en lettres.») Proposer trois écoutes.

Remarque

Cette phase où le groupe classe découvre le code de la chanson facilite
le travail d'écoute en groupes. L'enseignant aura au préalable partagé la
chanson en autant de groupes constitués.

3. Mise en commun

Demander à un représentant de chaque groupe d'écrire sa partie du texte
codé. Puis le groupe écoute la chanson en lisant le texte écrit au tableau.
Cela permet de corriger les erreurs éventuelles.

4. Déchiffrage du «code»

L'objectif de cette deuxième phase est, maintenant que le texte codé est
écrit, de distinguer les paroles de la chanson.
   Demander aux apprenants d'écrire maintenant leur partie en mots.
(«Vous allez maintenant écrire votre partie codée en mots.»)

Remarques

Cette phase où les apprenants élaborent ensemble le texte écrit de la
chanson, est très riche : échanges sur le sens, avant d'écrire la phrase, puis
sur la grammaire, l'orthographe, lors de l'écriture.

5. Mise en commun

Demander à un étudiant de chaque groupe de venir à tour de rôle écrire
une partie de la chanson au tableau. À chaque étape, le groupe fait des
remarques, on corrige. Encourager les apprenants à expliquer leurs corrections et, si besoin, clarifier certains points de grammaire, d'orthographe…

Correction : le texte en mots

Alpha bêta
Alphabet B
Elena Elena a chaud
Elena a oté ses hauts
J'ai happé Elena a chaud
Elena a chaud
J'ai happé Elena oh oh
Elena Elena a chaud

J'ai happé Elena oh oh
Elena a chaud
Elle a chaud elle a chaud oh Elena
Elle a ôté ses hauts oh Elena
Elle s'est assez baissée oh Elena
J'ai cédé j'ai cédé oh Elena
Elle a chaud elle a chaud oh Elena
Elle a ôté ses hauts oh Elena
Elle s'est assez baissée oh Elena
J'ai cédé j'ai cédé oh Elena
Elena Elena a chaud
Elena a ôté ses hauts
J'ai happé Elena à chaud
Elena a chaud
J'ai happé Elena oh oh
Elena Elena a chaud
J'ai happé Elena oh oh
Elena a chaud
Oh j'ai assez happé ses hauts
Elena Elena a chaud
Oh j'y vais oh j'y vais oh oh
Elena a chaud
J'ai happé Elena oh oh
Elena Elena a chaud
Elle a chaud elle a chaud oh oh
Elena a chaud
Elle a chaud elle a chaud oh Elena
Elle a ôté ses hauts oh Elena
Elle s'est baissée baissée oh Elena
J'ai cédé j'ai cédé oh Elena
Elle a chaud elle a chaud oh Elena
Elle a chaud elle a chaud oh Elena
Elle a ôté ses hauts oh Elena
Elle s'est baissée baissée oh Elena
J'ai cédé j'ai cédé oh Elena

6. Écriture de phrases

Demander aux étudiants d'écrire des phrases en partant de la prononciation
des lettres. (« À votre tour, écrivez des phrases en partant de la prononciation des lettres. »)

7. Mise en commun

Les étudiants viennent au tableau écrire leur phrase oralisée, les autres la retranscrivent en mots, le groupe en discute. C'est un moment amusant et instructif : on y repère des erreurs de prononciation.

41. De la chanson à la chanson

Niveau:	A1.
Durée:	1h30.
Support:	*La Complainte de l'heure de pointe,* chanson de Joe Dassin.
Objectif:	Écrire une chanson.
Matériel:	Un tableau, un lecteur de CD/cassettes, l'enregistrement de la chanson, des photocopies du texte à trous et du plan du métro parisien.
Salle:	Chaises et tables mobiles pour regroupement.

▨ DÉROULEMENT DE L'ACTIVITÉ

1. Présentation de l'activité et écoute de la chanson

L'objectif de cette phase est, d'une part, de repérer les mots-clés de la chanson, d'autre part d'en «saisir» le rythme, ce qui sera utile dans la phase finale.

Annoncer aux étudiants qu'ils vont écouter une chanson. Leur demander de se mettre par groupes de trois et préciser qu'ils doivent écrire tous les noms qu'ils entendent. À la fin de la première écoute, chaque groupe met en commun ce qu'il a repéré. (Consigne: «Vous allez écouter une chanson. Mettez-vous par groupes de trois et écrivez tous les noms que vous entendez. À la fin, écrivez ensemble la liste des noms.»)

LE TEXTE DE LA CHANSON

La Complainte de l'heure de pointe
Dans Paris à vélo on dépasse les autos.
À vélo dans Paris on dépasse les taxis.
Dans Paris à vélo on dépasse les autos.
À vélo dans Paris on dépasse les taxis.

Place des Fêtes on roule au pas,
Place Clichy on n'roule pas.
La Bastille est assiégée
Et la République est en danger.

<u>Refrain</u>
L'agent voudrait se mettre au vert,
L'Opéra rêve de grand air.
À Cambronne[1] on a des mots,
Et à Austerlitz, c'est Waterloo.

1. Le célèbre mot de Cambronne : merde !

Remarques

S'agissant du niveau A1, débutant, il est important de choisir une chanson courte et très rythmée. L'objectif final étant de faire écrire une chanson aux apprenants.

2. Mise en commun

Demander aux étudiants de dire quels noms ils ont entendus et les écrire au tableau. Attirer alors l'attention des apprenants sur la marque des noms propres en leur demandant de classer les mots en deux catégories. Demander alors : « Quelle est la différence entre ces mots ? Pourquoi ce classement ? » Les apprenants voient par exemple que Paris, Bastille, ont une majuscule, alors que « vélo » ou « agent » n'en ont pas.

Ceci peut être important si l'on est en présence d'apprenants asiatiques, qui ont souvent du mal à « intégrer » les majuscules.

Leur demander enfin de classer les noms communs par familles (les apprenants découvrent d'eux-mêmes les deux familles : moyens de transport, personnes) et, deux par deux, de retrouver les noms propres sur un plan de métro. (« Les avez-vous tous trouvés ? » « Oui,… » « Non,… ») Les apprenants échangent leurs « trouvailles ».

3. Reconstitution du texte de la chanson

Distribuer aux apprenants le texte de la chanson avec des « trous ».

Leur demander de combler les « trous » avec les mots trouvés dans la phase 1.

4. Mise en commun

Demander aux étudiants de lire le texte complet de la chanson. Ensemble, ils obtiennent un texte complet.

5. Préparation à l'écriture d'une chanson

L'objectif de cette phase est de donner du sens à la chanson ; toujours dans l'objectif de leur faire ensuite écrire un texte.

Poser au groupe entier une série de questions de compréhension:
– Dans quelle ville est-on?
– Quel est le moyen de transport?
– Est-ce que c'est bien de rouler à Paris, à vélo?
– Pourquoi?
– Et pour les voitures, est-ce que c'est bien?
– Que font-elles, place des Fêtes?
– Et dans les autres lieux?

Remarques

Ici, faire deux colonnes au tableau: «lieux» et «ce qui s'y passe». Y écrire au fur et à mesure les réponses données par les étudiants et expliquer les mots ou expressions difficiles: «rouler au pas», «être assiégée», «être en danger», «avoir des mots» (préciser ici le jeu sur «mots» – mot de Cambronne), «c'est Waterloo». Poser des questions:
– L'agent est-il content d'être à Paris?
– Et l'Opéra?

Expliquer ici «se mettre au vert» et «rêver de grand air», avec son double sens: musique et air pur.

6. Écriture d'une chanson

L'objectif de cette phase est de faire écrire aux étudiants une petite chanson sur une ville.

Demander aux apprenants d'écrire, sur le même modèle, par groupes de trois, une chanson sur la ville où ils étudient. Leur dire de choisir avant tout un moyen de transport. Rappeler l'importance du rythme (ici: 8, 7 et 9 pieds) et des rimes.

Remarques

Le choix d'une ville commune et vécue par tous se révèle intéressant lors du partage des textes. On remarque alors les différentes visions qu'ils peuvent avoir de la ville.

4. Les fiches pratiques

42. De l'analyse
à la création d'un poème

Niveau: A2.
Durée: 1h30.
Support: Un poème (ici, un acrostiche).
Objectif: Comprendre la structure d'un poème, écrire un poème.
Matériel: Le texte du poème sur transparent, un rétroprojecteur, un tableau, des copies papier du poème avec des questions (phase 2).
Salle: Chaises et tables mobiles pour regroupement.

Remarques sur l'objectif

Ce qui est visé, c'est de donner à comprendre un poème en passant plus par la perception des «sons», du rythme, de la composition: comme une matière sonore bonne à entendre et à écrire. La dimension «littéraire» est «jugée difficile».

Remarques sur le support

L'acrostiche est un poème dont la première lettre de chaque vers reliée aux autres à la verticale forme un prénom (ici).

■ DÉROULEMENT DE L'ACTIVITÉ

1. Présentation de l'activité

Expliquer aux étudiants qu'ils vont lire puis répondre en groupes à des questions sur un poème pour découvrir son contenu et sa construction. (Consigne: «Mettez-vous par groupes de trois. Un étudiant de chaque groupe va lire le poème à haute voix. Vous répondrez, ensuite, ensemble aux questions posées.»)

Remarque

Ne pas parler dans un premier temps de l'objectif final, l'écriture d'un poème sur le même modèle, est un choix guidé par la préoccupation que les apprenants ne soient pas «stressés» pendant la première phase, à l'idée de devoir ensuite rédiger eux-mêmes un poème. En effet, à ce niveau, A2, les étudiants ont encore peu l'habitude de produire des textes «littéraires» et cela les effraie un peu. Nous réservons donc la «surprise» pour un deuxième temps où l'on prendra soin de les rassurer.

2. Lecture et compréhension

Distribuer le document comprenant poème et questions. Un étudiant lit, puis le groupe répond oralement aux questions. Échanges. Circuler et passer dans chaque groupe pour les aider à formuler, les guider si vous sentez une demande de leur part.

LE TEXTE DU POÈME

Cher amour désiré
Hier je vous ai vue
Rougir quand j'ai voulu
Installer un baiser
Sur vos lèvres rosées.
Tout en vous m'a ému,
Ivre d'amour j'ai dû
Ne pas désespérer
Et le poser enfin.

1. Quel est le thème du poème?
2. Quels mots l'expriment?
3. Qui a écrit ce poème?
   Une femme? Un homme?
4. À qui s'adresse le poème?
   À une femme? À un homme?
5. Que raconte ce poème?
6. Le nom du destinataire est caché dans le poème. Quel est-il?
7. Un peu de poésie…:
   – Combien de vers y a-t-il?
   – Combien de pieds compte chaque vers?
   – Quelles sont les rimes?

Remarques

Ce travail de groupe est aussi l'occasion de provoquer un échange entre les étudiants pour comprendre et se faire comprendre. «Réfléchir ensemble» est la meilleure manière d'accéder au sens. Circuler de groupe en groupe pour veiller à ce que chacun prenne la parole, qu'un apprenant ne monopolise pas la parole comme cela peut être le cas dans un sous-groupe de niveau hétérogène ou tout simplement en présence d'un étudiant «meneur».

3. Mise en commun

Lors de la mise en commun, écrire les réponses au tableau et souligner sur le poème les rimes et les pieds. Les étudiants réagissent en comptant les syllabes.

La visualisation, à ce stade de l'apprentissage, est une aide à la compréhension. Certains apprenants ont en effet encore des difficultés de compréhension orale. Le comptage des pieds, guidé par l'enseignant, sera aussi fort utile ; les étudiants découvrent en effet que le « e » muet peut se prononcer en poésie et cela leur facilitera l'écriture de leur propre poème.

4. Écriture d'un poème

Demander aux apprenants d'écrire un poème sur le même modèle, en l'adressant à un(e) étudiant(e) de la classe. (Consigne : « Vous allez maintenant écrire un poème sur le même modèle ; c'est-à-dire que vous choisissez le prénom d'un(e) de vos camarades de sexe opposé et vous lui écrivez un poème. Tous vos vers auront le même nombre de pieds et vous ferez des rimes. »)

Remarques

Les étudiants ont souvent un moment de panique à l'idée de devoir écrire sous de telles contraintes (même si l'on sait que la contrainte leur permet plus de liberté). Il faut alors les encourager et les accompagner dans leur création. En leur proposant, pour commencer, d'écrire le premier vers et de continuer en se préoccupant d'abord de la première lettre, ensuite de la rime, enfin du nombre de pieds.

L'idéal, pour mener cette activité dans les meilleures conditions, serait d'avoir un groupe également mixte. Cela permet, lors de la phase de production, de demander à chaque apprenant, fille ou garçon, d'adresser son poème à un étudiant de sexe opposé. Afin que chacun reçoive son poème, circuler parmi les apprenants pour orienter leur choix de destinataire en cas de doublé. Pour ancrer l'exercice dans la réalité extérieure, on peut profiter de la Saint-Valentin…

5. Lecture des poèmes des étudiants

Proposer aux étudiants de lire leur poème à la classe qui devra, à l'oreille, deviner à qui il est adressé.

Remarques

La lecture, introduite ici comme un jeu, présente plusieurs intérêts. Elle a d'abord une dimension fondamentale en poésie : la musicalité. Elle donne aux étudiants l'opportunité de pratiquer une lecture expressive, sans le « stress » de la lecture présentée comme une activité en soi. Elle permet enfin, de la part des auditeurs, une écoute attentive dans le temps vécu en classe.

43. Du récit oral au récit écrit

Niveau:	A1-A1+.
Durée:	1h30.
Support:	Un dialogue de *Panorama 1* (Fichier d'évaluation, Unité 3), Clé International, 1996.
Objectif:	Différencier les marques de l'oral et de l'écrit dans un récit, rédiger un récit.
Matériel:	Un tableau, un lecteur de CD/cassettes, l'enregistrement et la transcription du dialogue.
Salle:	Chaises et tables mobiles pour regroupement.

Remarques sur l'objectif

La structure de la phrase, l'enchaînement des phrases, sont différents à l'écrit et à l'oral. Les apprenants le savent mais il est nécessaire de les aider à comparer les deux systèmes pour qu'ils se les approprient. L'on partira du récit oral court d'un fait marquant (étonnant, désagréable ou drôle) pour tenter de restituer à l'écrit la saveur de l'oral. Cet exercice est donc facilement adaptable, selon le document, à différents niveaux d'apprentissage.

Remarques sur le choix du document

Plus le document sera marqué à l'oral (onomatopées, pause, vocabulaire) plus la recherche des équivalents écrits sera fructueuse et amusante. Si l'on n'a pas l'enregistrement, l'enseignant peut lire et faire lire la transcription sur des tons différents, en y ajoutant des gestes par exemple afin de compenser l'absence du son authentique. C'est le travail sur la transcription qui est le plus précis.

■ DÉROULEMENT DE L'ACTIVITÉ

1. L'écoute

Faire écouter l'enregistrement, poser des questions pour aider à la compréhension et faire remarquer l'intonation et les éléments expressifs.

Récit de voyage

– Alors, ça s'est passé comment votre voyage à Nice ?
– Ah là là ! On a eu des problèmes ! Ça a commencé le premier soir. Notre chambre d'hôtel était réservée. Alors on s'est dit «on a le temps». On s'est arrêtés en route… et on est arrivés à l'hôtel à minuit. Et là, on nous a dit «l'hôtel est complet». Alors Pierre s'est mis en colère «Comment l'hôtel est complet ? On a réservé !»… Rien à faire ! Heureusement, on a des amis à Nice. On a téléphoné et on a dormi chez eux. Le lendemain on voulait passer la journée sur la plage… pour se reposer du voyage… Il a plu toute la journée. Toute la journée tu entends… Alors le matin on a trouvé un hôtel. À midi, on est allés manger au restaurant. On a bien mangé, ça. On a pris du poisson. Il était excellent. Et l'après-midi, eh ben, on a passé l'après-midi dans la chambre d'hôtel à regarder la télévision.

2. Lecture et analyse de la transcription

Distribuer la transcription, qui est lue de manière théâtrale (pour mimer l'authentique) par les apprenants qui le souhaitent ou par l'enseignant lui-même.

Demander aux apprenants de relever dans le texte tout ce qui leur semble caractéristique de l'oral : vocabulaire spécifique, formes grammaticales. Les apprenants se répartissent par groupes de trois pour établir la liste des éléments.

3. Mise en commun

Les résultats sont confrontés. Les inscrire au tableau sous une colonne «oral». Puis, demander aux apprenants de chercher terme à terme, l'équivalent à l'écrit. Cette recherche se fait en grand groupe avec l'aide de l'enseignant. Les éléments trouvés sont inscrits au tableau en vis-à-vis sous une colonne «écrit». Par exemple :

ORAL	ÉCRIT
Ah là là	C'était épouvantable !
on	nous
Ça	Cela
Ça a commencé le premier soir	Dès le premier soir…
on s'est dit	nous avons pensé
et… et… et	ensuite… puis

Alors Pierre…	À ce moment-là, Pierre…
Rien à faire	Il n'y a rien eu à faire
toute la journée (bis)	tu entends la journée entière
et l'après-midi (bis), eh ben…	on a passé finalement
	l'après-midi

Les apprenants observeront qu'il y a un caractère propre à chaque code. Les caractéristiques de l'oral (répétitions, ellipses, interjections, coordination…) sont remplacés à l'écrit par la concision, la précision, l'enchaînement syntaxique, la caractérisation, la ponctuation. Ils noteront d'ailleurs que la transcription est déjà une forme d'interprétation.

4. Rédaction de l'histoire

Les apprenants doivent rédiger la même histoire en utilisant les éléments inscrits sur le tableau. Ils ont pour autre consigne d'ajouter à leur guise des adverbes et des adjectifs pour restituer l'aspect langagier du récit oral. Ce travail sera fait chez eux : les meilleurs textes pourront ensuite être lus au groupe entier, si les auteurs le permettent.

●●●●●●●●●●●●●●●●●●●●●●●●●●●●●●●●●●●

44. Pourquoi et comment faire une dictée en FLE

Niveau : Tous niveaux.
Durée : 1 heure à 1h30.
Support : La lettre «Ma chère maman» d'André Gide, dans *Lettres d'écrivains de Baudelaire à Saint-Exupéry,* Folio 2, Éditions Gallimard.
Objectif : Faire le lien entre le sens, la graphie et le son.
Matériel : Un tableau, des photocopies de la lettre.

Remarque générale sur la dictée

Sacralisée dans l'apprentissage de l'orthographe française aux enfants français, mythe et facteur de sélection, la dictée a aussi été violemment attaquée. Depuis les années 80, les passions se sont un peu apaisées et la plupart des chercheurs considèrent maintenant qu'elle n'est qu'un exercice parmi d'autres pour apprendre l'orthographe. Souvent, elle n'est plus notée et se pratique sous des formes diverses.

La conception actuelle dominante considère que la dictée doit être un exercice préparé, guidé, réfléchi. C'est une stratégie d'évitement de l'erreur, car l'erreur peut s'inscrire dans la mémoire visuelle et gestuelle du scripteur. Essayer de faire produire une dictée sans faute, tel est le nouvel objectif pédagogique.

Par ailleurs, l'on sait que la dictée ne constitue pas une évaluation de la compétence orthographique de l'apprenant. Même en langue maternelle l'on constate qu'un enfant peut réussir une dictée et faire beaucoup d'erreurs dès qu'il écrit affectivement car il n'a pas encore le réflexe d'écriture. Ce réflexe d'écriture est l'objectif à atteindre pour un apprenant étranger et seule l'orthographe produite dans un texte personnel montrera qu'il est atteint ou pas. Il faut donc «dé-ritualiser» la dictée et faire rédiger des textes pour progresser en orthographe.

En alternance avec d'autres exercices, la dictée garde sa place dans la classe de FLE, à condition de la pratiquer selon les principes qui suivent.

Nous l'avons dit dans l'avant-propos de l'écrit, l'exercice de la dictée (langue écrite) en FLE doit se faire dans le sens de l'écrit vers l'oral (quand on a choisi l'objectif «orthographe de l'écrit», l'inverse est aussi très utile en apprentissage de la langue : c'est aussi une «dictée» mais où l'objectif est de faire reconnaître les différences entre la phonie et la graphie). C'est-à-dire qu'il faut d'abord :

– lire et comprendre le sens du texte ;

– analyser l'orthographe des mots qui le composent (c'est l'analyse graphique) ;

– comparer les graphies à leur prononciation, pour observer les correspondances et les divergences entre l'écrit et l'oral ;

– dicter le texte après les trois phases précédentes ; la dictée ne sera donc qu'une vérification de la mémorisation des faits observés.

La dictée est une performance momentanée, trace de la connaissance théorique des règles graphiques particulières au français. Elle témoigne d'un savoir, mais non d'un savoir-faire orthographique. La dictée rend manifeste le rapport de l'écrit à l'oral, mais elle ne devra pas masquer l'image écrite du mot, visage graphique qui doit s'imprégner dans la mémoire de l'apprenant.

Plusieurs types de dictées sont possibles, mais les principes méthodologiques cités ci-dessus restent les mêmes.

Remarques sur le choix des textes

Choisir les textes à dicter en fonction d'un objectif orthographique précis (les marques du pluriel, du genre, les homophones grammaticaux et lexicaux par exemple) mais en veillant toujours :

– à situer la ou les lettres dans le mot, le mot dans une phrase, la phrase dans le texte (notion de distribution et de sens essentielle en français) ;

– à faire écrire un texte personnel, après la dictée (afin de ne pas rester sur un souvenir sonore mais sur un souvenir graphique).

■ DÉROULEMENT DE L'ACTIVITÉ (DICTÉE «CLASSIQUE»)

1. Lecture et explication

Distribuer le texte, le lire (pour une prononciation correcte) et expliquer le sens.

LE TEXTE DE LA LETTRE

Ma maman chérie,

Je sais que tu es maintenant de nouveau toute seule ; j'ai peur que tu n'aies un peu froid près du cœur, que tu ne sois très triste ; et je veux t'écrire aujourd'hui rien que pour te dire combien je t'aime tendrement.

227

Il me semble que mon affection me fait si bien comprendre toutes les pensées grises qui doivent tourner autour de toi, certains jours, et te chagriner… : j'aimerais que cette lettre les chasse.

[…]

Hier, thé dans la forêt avec toute la pension où nous sommes. Valentine est *charmante* : je suis on ne peut plus heureux de ce petit arrêt à Lausanne ; tu lui as écrit hier un petit mot qui l'a profondément touchée.

Je reste ici jusqu'à demain ou après-demain, puis je vais gagner l'Engadine par la Furka, Andermatt et Coire, je pense ; rien n'est certain encore, je t'écrirai.

Ma tante est assez souffrante ; charmante ; mon oncle, charmant ; Jeanne, charmante. *Je suis enchantée que Valentine les voie.*

Rien d'autre à te dire encore ; je suis très facilement à bout de nerfs, mais cet air est excellent pour moi.

Chère maman, au revoir. Je t'aime plus que tu ne saurais croire, et me souviens de la bonne promenade que nous avons faite du côté de Bonnebosq, tous les deux seuls, comme les vieilles années d'autrefois.

Au revoir. Je suis ton enfant chéri.

André

2. Analyse graphique selon l'objectif choisi

Pour cet extrait d'une lettre d'André Gide à sa mère, on choisit l'accord de l'adjectif en genre et en nombre.

Par deux, les apprenants cherchent les adjectifs, soulignent la dernière lettre, justifient sa présence (liaison avec les noms) et regroupent les terminaisons identiques.

Synthétiser au tableau les résultats par genre et par nombre, en marquant avec les couleurs (feutres ou craies) les lettres à mémoriser :

	SINGULIER	PLURIEL
FÉMININ	chérie, seule, triste, charmante, chère, bonne	grises, vieilles, toutes
MASCULIN	heureux, charmant, excellent, chéri	tous, seuls

Puis faire une leçon d'orthographe sur les transformations graphiques liées au genre et au nombre (« e », double consonne, « x » et « s », etc.).

3. Différenciation écrit/oral

Demander à chaque apprenant de lire les adjectifs, en faisant observer la différence écrit/oral.

4. Dictée

Dictée puis correction individuelle immédiate à l'aide du texte.

5. Rédaction

Demander ensuite aux apprenants de rédiger chez eux une courte lettre à un parent, avec pour consigne d'utiliser des adjectifs en fonction des règles énoncées.

Variante 1 : une dictée à choix multiples

1. Proposer en fonction de l'objectif choisi (par exemple, l'accord du participe passé avec «avoir») un choix de terminaisons, dans plusieurs phrases, les difficultés étant sélectionnées selon le niveau du groupe. Exemple : «Je me souviens de la promenade que nous avons ...... (fait/faite/faits).» Chaque apprenant choisit une forme et compare avec son voisin.

2. Mise en commun en grand groupe, avec justification du choix.

3. Dictée des phrases, le même jour ou plus tard.

4. Correction individuelle avec le texte corrigé.

Remarques

Les phases sont sensiblement les mêmes :
– compréhension du texte ;
– le choix des formes constitue l'analyse graphique ;
– énoncé des règles, différence écrit/oral ;
– dictée et correction.

Pour faciliter la mémorisation, il semble plus efficace de focaliser l'attention des apprenants sur une seule difficulté à la fois, même si les autres sont évoquées.

Ce type de dictée a pour objectif d'habituer les apprenants à localiser les difficultés et à acquérir les notions de catégories linguistiques (l'accord de l'adjectif n'est pas celui du verbe, etc.).

Variante 2 : une dictée «Stop! Attention!»

Choisir la difficulté à étudier, par exemple les accents (aigu, grave, et absence d'accent). L'activité se déroule selon les mêmes phases que précédemment :
– la phase analyse graphique se fait avec le relevé des accents dans un

texte. En tandem, les apprenants cherchent les accents et essaient de comprendre leur rôle ;
– mise en commun de ce qui a été trouvé ;
– structurer au tableau les réponses (en syllabes graphiques) afin que les apprenants visualisent les similitudes et la position des lettres les unes par rapport aux autres. Mettre les lettres accentuées en couleur :

pré/fè/re	la /mer/
ré/pè/te	el/le
é/lè/ve	sel/le
cé/lè/bre	cet/te

Essayer de leur faire déduire les règles puis faire une leçon théorique sur l'accentuation en français.

Pendant la phase/dictée, chaque fois que l'apprenant rencontre un mot portant un accent, dire « Stop ! Attention à l'accent ! » Les apprenants doivent alors se concentrer plus particulièrement.

La phase correction est commune et se fait au tableau.

Puisqu'il s'agit de l'accent et des modifications qu'il apporte à la prononciation d'un mot, il est important que les apprenants lisent chacun à tour de rôle une phrase, reprise ensuite par l'enseignant, afin que l'écart écrit/oral soit observé plusieurs fois.

Remarques

Ce type de dictée est recommandé lorsque la graphie modifie le son (accent, doubles consonnes) car l'enseignant peut insister sur la prononciation.

Variante 3 : une dictée « Stop ! Comment ça s'écrit ? »

Cette fois-ci, c'est l'apprenant qui demande à l'enseignant de s'arrêter quand il ne sait pas écrire un mot, ou a des doutes sur sa graphie.

Lui demander alors de proposer des graphies différentes qu'il doit justifier. Par exemple, il hésite sur les graphies « Fauteulle ? Fauteuil ? Foteulle ? » Les écrit au tableau et tout le groupe discute, cherche la solution qui est explicitée. L'apprenant écrit alors la bonne réponse.

Remarques

Ce qui est important dans ce type de dictée, c'est la recherche des graphies probables et l'élimination des graphies impossibles en français. L'explicitation des critères de choix de la bonne graphie (marques grammaticales, position de la lettre, terminaisons verbales, analogie lexicale) favorise l'acquisition de ces savoirs orthographiques.

Variante 4 : une dictée « Cherchez les erreurs »
Il s'agit de présenter aux apprenants un texte avec des erreurs (fabriquées par l'enseignant en fonction de la notion qu'il veut travailler : par exemple, la terminaison du subjonctif).

1. Lecture et explicitation du sens.

2. Les apprenants se mettent en tandem pour chercher les erreurs. Les mettre sur la piste en donnant le nombre d'erreurs et en indiquant leur nature et leur nombre : «Cherchez deux erreurs de terminaisons verbales». (Exemple : «Il faut que *j'ai terminé ma lettre et que *j'aile à la poste.») Il faut qu'il y en ait suffisamment pour que l'exercice stimule la mémoire de l'apprenant.

3. Mise en commun et correction commentée en grand groupe,

4. Justification théorique par l'enseignant. Inscrire au tableau les bonnes réponses ; les apprenants corrigent sur leur texte.

5. Dictée puis correction par le voisin à l'aide du texte.

Remarques

Il est plus judicieux de pratiquer ce type de dictée avec des apprenants de **niveau avancé** car ils ont déjà un certain savoir qui leur permet de corriger un écrit. Cela permet aussi de diminuer le risque de mémoriser l'erreur (bien qu'elle ne soit pas produite par eux, ce qui change tout). Ce risque est également réduit par le commentaire qui est fait à propos de chaque erreur. Ce type de dictée reste intéressant car il développe la vigilance orthographique et se rapproche d'une situation authentique d'écrit où l'on est amené à se relire pour se corriger.

4. Les fiches pratiques

45. Différencier les homonymes lexicaux

Niveau:	A1–A2.
Durée:	1h30.
Support:	Aucun.
Objectif:	Trouver le sens des mots à partir de leur orthographe, acquérir la notion de famille de mots, savoir utiliser un dictionnaire.
Matériel:	Un tableau, des dictionnaires.
Salle:	Chaises et tables mobiles pour regroupement.

Remarques sur l'objectif

Les apprenants constatent très vite qu'en français des mots qui ont le même son s'écrivent différemment. Il est nécessaire de leur faire comprendre les raisons de ce hiatus pour le dédramatiser. Ils acquièrent peu à peu les notions syntaxiques justifiant ces divergences orthographiques. En revanche, ce qui est plus difficile à assimiler, c'est l'arbitraire de ce que l'on nomme l'orthographe d'usage. Il faut réduire cette notion d'arbitraire et justifier l'orthographe des mots par leur sens, par leur appartenance à une famille ou à une histoire. Exemple: «chant» n'est pas «champ». Les deux mots ne se ressemblent pas graphiquement.

C'est l'aspect **idéographique** de l'orthographe française qui va requérir la mémoire visuelle de l'apprenant. Il est utile d'inculquer aux apprenants **la notion de série familiale** en orthographe, et d'une certaine fidélité à cette famille. Cela implique que les exercices concernant l'orthographe d'usage partent des mots écrits, c'est-à-dire de leur «visage». Il s'avère ainsi très fructueux de prévoir des exercices utilisant le dictionnaire, mine de mots et de leur famille.

Remarques sur le choix des mots

Choisir des paires de mots en fonction du niveau et des besoins des apprenants, en gardant à l'esprit qu'il s'agit de reconnaître le sens d'un mot à partir des lettres qui le composent, ce qui permet d'identifier sa famille.

▦ DÉROULEMENT DE L'ACTIVITÉ

1. Présentation d'homonymes

Écrire des couples de phrases au tableau contenant des homophones appartenant à une famille de mots différente, mais de même nature, ici des noms. Les phrases sont grammaticalement simples pour ne pas dévier l'attention des apprenants :

A	B	C	D
Le chant est beau.	La fin est triste.	Le compte est parfait.	Le plan est bon.
Le champ est beau.	La faim est triste.	Le conte est parfait.	Le plant est bon.

Demander le sens de chaque phrase et expliquer si besoin est. Faire ainsi remarquer que c'est la forme graphique qui fait la différence entre les phrases, la forme montre le sens du mot. Cette forme (le «t» pour «chant» et le «mp» pour «champ») est quasi génétique, comme dans une famille où tout le monde aurait les yeux bleus ! L'esprit de famille existe en orthographe, il faut le leur dire ! Donc, sens différent = forme différente = famille différente.

2. Recherche de «familles» de mots

Les apprenants se répartissent par groupe de quatre. Chaque groupe se charge d'un couple d'homophones (A, B, C, D) pour chercher dans leur dictionnaire d'autres mots (verbes, adjectifs, etc.) appartenant respectivement aux différentes familles.

Leur demander d'établir une liste «familiale» pour chaque mot, en faisant ressortir la ou les lettres qui sont identiques, afin qu'ils associent bien la forme du mot à son sens et à sa famille.

3. Mise en commun

Chaque groupe dicte sa liste que l'enseignant met au tableau en soulignant les lettres de parenté. Par exemple :

Groupe A
ch/**ant**/er
ch/**ant**/eur
ch/**amp**/être
c/**amp**/agne

Groupe B
/**fin**/ir
/**fin**/al
/**fam**/ine
af/**fam**/é

Etc.

Faire observer que, comme dans toutes les familles, il y a des ressemblances et des différences, mais il y a un air de famille, c'est-à-dire une racine que l'on retrouve ; par exemple, deux à trois lettres identiques.

4. Dictée surprise

Chaque groupe doit inventer deux phrases contenant chacune un des deux homophones dont il était chargé (par exemple, une avec «fin» et une autre avec «faim»). Ces phrases doivent bien sûr être différentes des phrases présentes au tableau. Puis chaque groupe dictera ses deux phrases à l'ensemble de la classe.

Veiller à ce que les phrases soient choisies dans un contexte clair pour que les autres apprenants trouvent facilement le sens et donc écrivent correctement les homophones. Par exemple, accepter des phrases comme : «À l'opéra **le chant** est plus important que la mise en scène»/«Van Gogh a peint **un champ** de tournesols» ou «On donne de l'argent pour **la faim** dans le monde»/«J'ai pleuré à **la fin** du film» parce que les contextes environnant les mots sont clairs, non ambigus.

5. Mise en commun

Correction en commun au tableau par plusieurs apprenants.

Remarques

Comme il s'agit d'homophones, une phase dictée se justifie, précisément pour que les apprenants prennent conscience que le son ne leur apporte pas ici d'informations, mais que c'est bien le sens de la phrase qui leur donnera l'orthographe du mot.

Amener les apprenants à faire le lien entre sens et forme graphique, c'est l'objectif principal de ce type d'exercice. Pour trouver l'orthographe du mot, l'apprenant doit penser au sens comme on le fait en situation d'écriture authentique où on orthographie rarement à partir du son mais à partir du sens des mots que l'on utilise.

46. La morphologie du présent

Niveau : A1-A2.
Durée : 1 heure en classe, puis rédaction à la maison.
Support : Aucun.
Objectif : Connaître la terminaison de la 6e personne (3e personne au pluriel) des verbes réguliers au présent.
Matériel : Un tableau.
Salle : Chaises et tables mobiles pour regroupement.

Remarques sur l'objectif

Le présent est le temps le plus difficile à orthographier puisque le moins régulier. Il est donc nécessaire d'apprendre à l'écrire très tôt. Cependant, il vaut mieux commencer par les formes récurrentes, en allant des plus simples au plus complexes, à savoir les 6e personnes du pluriel des verbes réguliers qui ont (presque) toutes la même terminaison : « -ent ». Cela fera prendre conscience aux apprenants qu'il existe un système, ce qui est essentiel pour la mémorisation de ces formes.

L'objectif peut sembler « maigre » mais il est très important que l'apprenant considère vite que chaque lettre a une signification en orthographe et que sa présence se justifie.

Les exercices d'orthographe doivent être inclus dans un contexte plus large car on écrit pour exprimer quelque chose et non pour savoir orthographier. Il faut donc toujours rapprocher la forme du sens, ainsi, puisqu'il s'agit du présent, nous allons nous servir de l'une de ses valeurs, l'expression de l'habitude et du général.

■ DÉROULEMENT DE L'ACTIVITÉ

1. Remue-méninges (10 minutes)

Lancer la question clé : « Que font les Français qui travaillent chaque jour ? » et laisser les apprenants répondre librement de manière désordonnée sur les horaires, les repas, le travail, les activités à la maison, à Paris, en province, etc. Participer à cet échange en apportant évidemment votre propre témoignage culturel.

Le groupe devra décrire la journée type des Français qui travaillent. Si les apprenants ne sont pas en France et n'y sont jamais allés, il faudra alors qu'ils décrivent la journée type de leurs compatriotes. L'important est d'évoquer une réalité. Prévoir l'emploi de deux à trois verbes réguliers caractéristiques du 1er, 2e, 3e groupe, quitte à en « souffler » si les apprenants ne les citent pas. Prévoir aussi l'organisation du tableau.

2. Travail de groupe (20 minutes)

Demander aux apprenants de raconter à l'écrit la journée d'un parisien, en décrivant ce qui se passe pendant trois moments de la journée : matin, midi et soir. Il faut trouver au moins trois verbes pour chaque moment.

Les apprenants travaillent par deux avec leur voisin, mais chacun doit écrire chaque phrase.

Écrire une phrase amorce au tableau, par exemple : « En général, beaucoup de Parisiens se réveillent à 7h et… »

Laisser les apprenants travailler, mais passer auprès de chaque tandem pour vérifier l'orthographe, le vocabulaire et répondre aux questions éventuelles.

3. Mise en commun

Quand ils ont fini, interroger chaque couple, faire comparer les réponses pour chaque moment l'un après l'autre, et noter au tableau les verbes essentiellement, en isolant la terminaison « -ent » par une couleur et une barre :

MATIN	MIDI	SOIR
ils se lav/**ent**	ils mang/**ent**	ils regard/**ent**
ils prenn/**ent**	ils fum/**ent**	ils dîn/**ent**
ils part/**ent**	ils choisiss/**ent**	ils dorm/**ent**
(laver, prendre, partir)	(manger, choisir, sortir)	(regarder, dîner, dormir)

Faire chercher l'infinitif et faire alors remarquer que les lettres communes « -ent », soulignées en couleur, montrent le pluriel des verbes quel que soit le groupe verbal. L'apprenant visualise la règle générale.

Faire aussi remarquer la relation sujet pluriel/verbe pluriel, en soulignant le « s » des pronoms sujets.

4. Rédaction (à la maison)

Demander aux apprenants de rédiger chez eux au présent une journée type de leurs compatriotes. Ils pourront élargir et rédiger librement mais ils ont pour consigne d'entourer les lettres « -ent » de chaque verbe, chaque fois qu'ils les utilisent, ainsi que le sujet du verbe en question. Écrit au tableau un modèle de présentation :

> **Les Coréeens** prenn/**ent** de la soupe le matin.

5. Correction

Au cours suivant, les minis-récits seront échangés entre apprenants, chacun corrigeant son voisin. Passer pour vérifier les erreurs non repérées. Cette phase nécessite de la part des apprenants une attention et une acuité visuelle propices à la mémorisation des formes.

Ramasser les copies pour une ultime correction.

Remarques

Il n'est pas nécessaire dans ce type d'exercice d'insister sur la différence entre l'écrit et la prononciation (bien que les « -ent » ne s'entendent pas), car il s'agit d'expliquer la légitimité de la terminaison « -ent » qui transmet visuellement une information grammaticale, à savoir que le sujet est pluriel. L'objectif étant que, peu à peu, les apprenants, en rédigeant, pensent au rapport sujet/verbe et finissent par écrire avec un réflexe grammatical sans se référer à l'oral.

Il est en revanche indispensable qu'il y ait un travail individuel pour que l'apprenant puisse exercer **sa mémoire visuelle et motrice**.

Variantes

Cette activité est transférable à d'autres marques morpho-syntaxiques (autres personnes, autres temps, pluriel des noms/adjectifs, etc.), pourvu qu'elle soit incluse dans un acte de parole (ici, faire le récit d'une journée) et qu'il y ait une rédaction individuelle à la clé.

47. La chaîne des accords dans un texte

Niveau:	A2-A2+.
Support:	Un extrait de *Le Nain jaune,* roman de Pascal Jardin, Éditions Julliard, 1978.
Durée:	1h30 en classe, puis rédaction à la maison.
Objectif:	Savoir orthographier les accords noms/adjectifs/verbes.
Matériel:	Un tableau, des photocopies du texte.
Salle:	Chaises et tables mobiles pour regroupement.

Remarques sur l'objectif

Savoir orthographier les marques du pluriel en français ne dépend pas seulement de la connaissance théorique des règles. Pour que ces règles soient assimilées, il faut que l'apprenant observe visuellement, le plus souvent possible, ces marques du pluriel en contexte, c'est-à-dire dans la chaîne des accords mise en œuvre dans une phrase puis dans un texte. Comme les marques du nombre ne s'entendent pas en français (ni le «-s», ni les «-ent»), il est souhaitable de sensibiliser les apprenants à la différence écrit/oral. D'autre part, pour aider à la mémorisation, il est indispensable que l'apprenant pratique lui-même l'enchaînement des accords en produisant des textes.

Ainsi l'activité proposée est constituée d'une analyse graphique (repérages des marques du genre et du nombre), d'une dictée (différence graphie/phonie) et d'un récit rédigé à la maison.

Remarques sur le choix du texte

Ce texte littéraire a été choisi parce qu'il décrit une situation facilement transférable au vécu de l'apprenant (un souvenir d'enfance), ce qui est motivant, et facilite la lecture puis la rédaction personnelle.

D'autre part, le texte est un récit au passé, ce qui permet d'observer l'accord du participe passé et l'usage de l'imparfait (l'apprenant se rend compte de l'écart entre la phonie et la graphie en français: cinq lettres – «aient» – pour un seul son $[\varepsilon]$).

▨ DÉROULEMENT DE L'ACTIVITÉ

1. Présentation du texte et analyse du sens

Présenter le texte : un adulte se souvient d'un petit moment de tendresse passé avec son père qu'il raconte très visuellement, comme une petite scène de cinéma.

Distribuer le texte et le lire pour en rendre l'atmosphère intimiste.

Expliquer le vocabulaire inconnu, les temps plus difficiles (subjonctif, passé simple) sans trop s'y attarder car ce n'est pas l'objectif.

LE TEXTE DE L'EXTRAIT

Une promenade avec mon père

Ce jour-là, un des premiers souvenirs clairs que j'aie de lui, c'est une promenade dans la grande allée d'un château où nous avions été conviés un dimanche.

C'était un des derniers étés de l'avant-guerre, et le soleil radieux et rare de Normandie avait peine à percer le feuillage des chênes centenaires.

Il marchait entre un vieux monsieur distingué, un physicien, je crois, et un religieux vêtu d'une soutane blanche.

Moi, je suivais en trottant. Je voyais les mains de mon père, qu'il tenait dans son dos. L'une d'elles jouait avec une balle de tennis qu'il avait ramassée au détour d'une allée. Les échanges d'idées, le bruit de leur causerie que je ne comprenais pas tombaient sur moi comme les cailloux blancs chers au Petit Poucet. Je suivais, ignorant, inconscient de mon âge et des choses alentour, comme de celles du lendemain.

Soudain, il se retourna vers moi. Il m'avait oublié, puis il s'était rappelé. Il me jeta la balle avec une phrase tendre. Ai-je attrapé la balle ? Sûrement pas. Mais j'ai gardé en moi son sourire délicieux.

---

2. Analyse graphique des formes du pluriel

Diviser la classe en deux groupes de tandems qui se partagent le travail. Demander au groupe 1 de souligner, dans l'ensemble du texte, toutes les terminaisons verbales imparfait, passé composé, plus-que-parfait et de repérer les sujets de ces verbes. Demander au groupe 2 d'entourer les marques du genre et du nombre des noms et des adjectifs qui sont liés. Circuler dans la classe pour vérifier si les apprenants repèrent bien les catégories grammaticales dont ils sont chargés.

3. Mise en commun

Quand ils ont fini, structurer au tableau les réponses (avec des couleurs si possible). Par exemple :

Groupe 1	**Groupe 2**
sujets/verbes	noms/adjectifs
nous avions été conviés	*étés derniers*
(les) échanges d'idées tombaient	*(les) cailloux blancs chers*
...	...

Remarques

Il est très important d'exiger que les marques du nombre («-s», «-ent», «-x») soient soulignées et entourées pour exercer la mémoire visuelle de l'apprenant.

Il s'agit d'insister sur le fait que les éléments composant une phrase sont solidaires par le sens, et que leurs formes témoignent de cet enchaînement sémantique.

Cela permet d'autre part de visualiser les ressemblances («-s») et les divergences («-x») des marques du nombre et de repérer assez naturellement les catégories grammaticales («avions **été**»/«les étés»).

4. Dictée d'une partie du texte

Effacer le tableau et dicter une partie du texte – celle où les éléments observés se retrouvent de manière significative (ici, de «Moi, je suivais...» jusqu'à «celles du lendemain»).

5. Correction

Relecture de la dictée. Pour que chaque apprenant mémorise bien la dichotomie graphies grammaticales et prononciation, chacun lit à haute voix une phrase à tour de rôle, phrase reprise ensuite par l'enseignant.

Puis chacun relit silencieusement sa dictée, en ayant pour consigne de faire particulièrement attention à toutes les marques de nombre et de genre.

Enfin, chaque apprenant se corrige à l'aide du texte original.

6. Rédaction

Demander aux apprenants de rédiger à leur tour, chez eux, un moment court passé avec leur père ou leur mère dans leur petite enfance sur le modèle du texte. Ne pas imposer de contraintes particulières sauf celle d'attacher une attention spéciale à la chaîne des accords dans leur propre texte.

En revanche, faire observer l'antériorité dans le passé (plus-que-parfait), et surtout la différence passé composé/imparfait, probablement déjà connue mais qui n'est pas simple en français. Insister sur l'emploi de l'imparfait (description des lieux, des personnages, des attitudes, des sentiments).

Puis, poser à l'ensemble de la classe des questions portant sur les circonstances (où/quand?), les personnages (qui?) et l'action (quoi?).

Leur donner deux consignes et les inscrire au tableau:

---

1. Respecter l'ordre et la disposition des paragraphes du texte, à savoir:
– Ce jour-là…
– c'était…
– il/elle…
– Moi, je…
– Soudain… (+ passé composé)
– Finir par une question au passé composé.

2. Utiliser le plus possible l'imparfait comme dans le texte.

Veiller à ce que chaque apprenant ait bien compris et copié les consignes.

48. Du poème au poème

Niveau :   A2-B1.
Durée :   1 heure sur deux jours (correction interactive des poèmes
                lors d'une séance ultérieure).
Support :   «Chanson d'automne», poème de Paul Verlaine.
Objectif : Écrire à la manière de…
Matériel : Des photocopies du texte.
Salle :   Chaises et tables mobiles pour regroupement.

Remarques sur l'objectif

L'objectif est de faire chercher aux apprenants des mots assonancés, comme les mots en «on» (sanglots longs des violons), en «an» (suffoquant…) qui, placés selon un ordre créé par l'apprenant, vont faire sens pour exprimer ses émotions. La mise en bouche des mots du poème favorise le désir d'écrire un texte semblable, «à la manière de…».

Remarques sur le choix du texte

À l'oral, le poème est un «support» authentique littéraire valorisant l'acquisition phonétique de l'apprenant par la mémorisation de la musique des voyelles, du sens, de la prosodie… Le même type de document travaillé pour une «production écrite créative» de l'apprenant est tout à fait justifié.

En effet, la dimension fonctionnelle de l'apprentissage de la langue : écrire pour agir comme parler pour communiquer, est prioritaire. Cependant, nous savons qu'une langue est apprise pour des raisons non seulement pratiques mais aussi culturelles.

Le poème présente les qualités fondamentales exigées pour l'apprentissage (oral/écrit) de la langue : unité de sens, de forme et de beauté ! Et, de plus, la taille du texte «court» rajoute à sa pertinence : beaucoup d'émotion et de sensibilité en peu de mots.

■ DÉROULEMENT DE L'ACTIVITÉ

1. Lecture/relecture du poème

Si les apprenants ont étudié le poème en phonétique peut-être l'ont-ils appris par cœur, ce qui est très conseillé pour un poème court comme celui-ci.

Relecture en commun, enseignant et apprenants, à voix haute ou basse selon le travail fait en phonétique.

LE TEXTE DU POÈME

Chanson d'automne

Les sanglots longs
Des violons
De l'automne,
Blessent mon cœur
D'une langueur monotone.

Tout suffocant
Et blême, quand
Sonne l'heure,
Je me souviens
Des jours anciens et je pleure ;

Et je m'en vais
Au vent mauvais
Qui m'emporte
Deçà, delà
Pareil à la feuille morte.

---

2. Préparation et rédaction d'un poème

Laisser les apprenants chercher eux-mêmes un thème : les saisons sont porteuses d'imaginaire car le climat détermine nos humeurs…

Il est très instructif de demander aux apprenants si, pour eux, l'automne est une saison triste. En fonction de leur appartenance culturelle, les références climatiques entraînent une prise de parole « libre » dont l'enseignant va se servir pour proposer l'activité créatrice : « composer un court poème assonancé sur la saison que vous préférez ».

Le modèle est si parfait qu'il donne envie de l'imiter.

Le travail de composition personnelle sera fait « à la maison » pour laisser le temps de maturation nécessaire à la créativité.

3. Correction et lecture

Lorsque les poèmes vous ont été remis, les corriger et, lors d'un cours suivant, faire un relevé des erreurs pour les faire «corriger» par tous (sans mettre le nom de l'apprenant «fautif»). Cette manière de faire est très riche du point de vue du traitement de l'erreur et favorise l'interactivité entre tous. De plus, il y a beaucoup plus de «bons textes» que de «mauvais»; cela est donc une manière de faire comprendre indirectement – sans le dire – que les acquis sont plus importants que les erreurs restantes.

Saisir ou faire saisir les textes par les étudiants, pour leur donner une valeur définitive, et les afficher au mur de la classe. Une fois affichés, laisser lire les poèmes par tous. Chacun lira et découvrira, à son rythme, les textes de ses camarades de classe: très bonne émulation mutuelle!

Le principe d'exposer les textes sur les murs de la classe est une manière simple de rendre à la poésie son caractère visuel tout autant que sonore. Cette exposition des textes valorise le travail écrit de l'apprenant, ce qui est aussi une autre manière de communiquer.

49. De la lettre à la lettre

Niveau: A2.
Durée: 1h30.
Support: Une lettre (ici, une lettre de remerciements extraite de *84, Charing Cross Road* de Helene Hanff, Collection Autrement Littérature, Éditions Autrement, 2001).
Objectif: Écrire une lettre amicale.
Matériel: Un tableau, des photocopies de la lettre.
Salle: Chaises et tables mobiles pour regroupement.

Note sur le support

L'Américaine Helene Hanff a entretenu, dans les années cinquante, une correspondance suivie avec les employés d'une librairie londonienne qui lui fournissait des ouvrages. Simples commandes au départ, ces lettres sont devenues avec le temps plus amicales. L'Angleterre subissant la pénurie de l'après-guerre, Helene envoyait des colis aux employés.

■ DÉROULEMENT DE L'ACTIVITÉ

1. Lecture et compréhension globale de la lettre

Distribuer une copie de la lettre aux apprenants et leur demander ce que c'est, qui écrit, d'où et quand, et enfin à qui.

LE TEXTE DE LA LETTRE

Londres, le 24 août 1952

Chère Helene,

Je vous écris de nouveau pour vous remercier du fond du cœur pour la part que nous avons eue dans le merveilleux colis que vous avez eu la gentillesse d'envoyer chez Marks & Co. J'aimerais pouvoir vous envoyer quelque chose en retour.

Au fait, Helene, nous sommes depuis quelques jours les heureux propriétaires d'une voiture, pas une neuve, bien sûr, mais elle marche et il n'y a que cela qui compte, n'est-ce pas? Maintenant vous allez peut-être nous dire quand vous venez nous rendre visite?

Deux de mes cousins qui sont venus d'Écosse pour une quinzaine de jours ont logé chez Mme Boulton, où ils ont été très bien. Ils dormaient chez elle et mangeaient chez moi. Si vous réussissez à vous offrir le voyage d'Angleterre l'an prochain pour le couronnement, Mme Boulton s'arrangera pour vous coucher.

Eh bien, salut pour aujourd'hui, recevez toutes nos amitiés et remerciements renouvelés pour la viande et les œufs.

Avec mes sentiments les meilleurs,
Nora

2. Compréhension détaillée de la lettre

L'objectif de cette phase est de comprendre l'organisation et le contenu d'une lettre afin de pouvoir, ensuite, en rédiger une.

Demander aux étudiants de se réunir par groupes de trois et de répondre à ces deux questions: «Combien y a-t-il de paragraphes?», «Quel type d'informations trouve-t-on dans chaque paragraphe?»

3. Mise en commun

Le groupe répond aux questions posées. En profiter pour préciser que la formule finale ne constitue pas un paragraphe, et demander des informations détaillées: «Qu'est-ce qu'Helene leur a envoyé?» «Quelle est la grande nouvelle de leur côté?» «Pourquoi l'inviter après avoir annoncé cette nouvelle?» «Pourquoi serait-elle bien chez Mme Boulton?» L'intérêt de cette phase est de faire apparaître l'articulation des idées par paragraphes.

4. Les formules

L'objectif de cette phase est d'enrichir le vocabulaire des apprenants en ce qui concerne les formules épistolaires les plus fréquentes.

Après avoir écrit au tableau les formules utilisées dans la lettre, demander aux apprenants quelles autres formules on pourrait utiliser dans la formule d'appel, l'expression de l'amitié et des remerciements en conclusion de la lettre et la formule finale. Exemples:

– chère amie, très chère amie, Helene;
– bien à vous et encore merci, amitiés et mille mercis;
– sincères amitiés, cordialement, meilleurs sentiments, avec toute mon affection, cordiales salutations, sincères salutations, sincères amitiés, cordialement…

5. Rédaction d'une lettre

L'objectif de cette phase est de faire rédiger par les apprenants une lettre de remerciements. Donnez cette consigne orale : « Vous entretenez une correspondance avec des amis français que vous avez rencontrés lors d'un voyage. Pour le Nouvel An, ils vous ont envoyé de délicieux chocolats. Vous leur écrivez pour les remercier et renouveler une invitation à vous rendre visite dans votre pays à l'occasion d'un événement particulier. Dans votre lettre, vous suivrez la structure de la lettre de Nora et donnerez deux arguments pour les inciter à venir. »

Imposer la structure de la lettre :
– formule d'appel ;
– § 1, objet de la lettre et souhait ;
– § 2, argument 1 et invitation
– § 3, argument 2 ;
– § 4, salutations et remerciements ;
– formule finale.

50. Rédiger une lettre dans des situations de la vie courante

Niveau:	A2-B2.
Durée:	1h30.
Support:	Différents modèles de lettres en français.
Objectif:	Savoir composer une lettre dans différentes situations sociales.
Matériel:	Photocopies des modèles de lettres.
Salle:	Tables et chaises mobiles.

Remarques sur l'objectif

Le cours de langue n'est pas un cours de correspondance, mais il existe des écrits sociaux qui y trouvent leur place car ce sont des écrits ordinaires dont les apprenants ont besoin.

Remarques sur le choix des supports

En fonction de la situation réelle dans laquelle se trouve son groupe, sélectionner des écrits sociaux: demande de renseignements à l'université ou à un office de tourisme, lettre de résiliation de bail, lettre de remerciements, etc.

L'essentiel est que les apprenants sachent que ces lettres leur sont ou leur seront utiles. Il est donc judicieux d'établir avec eux une liste des situations dans lesquelles ils auront à écrire, car autant ils pourront comprendre des lettres de tous genres choisies par l'enseignant, autant en production, il est préférable qu'ils choisissent eux-mêmes celles qui les intéressent; cela favorisera la mémorisation des formes utilisées et donc l'apprentissage. Nous proposons ici une démarche adaptable aux niveaux différents ainsi qu'aux besoins des apprenants.

■ DÉROULEMENT DE L'ACTIVITÉ

1. Analyse de modèles

En fonction de la liste établie à partir des besoins des apprenants, fournir des modèles de lettres. Il en existe dans beaucoup de livres de correspondance, sur Internet, voire dans les méthodes de FLE.

L'analyse de ces modèles permet aux apprenants un réemploi autonome de ces lettres. Nous prendrons pour exemple «la demande de renseignements».

Distribuer les copies de deux lettres différentes, mais qui sont toutes les deux des demandes de renseignements. Les lettres sont lues et explicitées.

Diviser les apprenants en groupes de trois. Ils doivent :
– répondre aux questions : «Qui écrit à qui? Quand? D'où? Pourquoi?» en notant la disposition spatiale des réponses ;
– relever les termes précis qui ouvrent et ferment la lettre ;
– relever les termes de la formulation de la demande ;
– trouver le plan de la lettre ;
– faire des remarques sur le ton de la lettre ;
– comparer avec les usages de leur pays.

2. Mise en commun

Les apprenants comparent leurs réponses. Structurer au tableau les résultats en simulant le format d'une vraie lettre. Noter les éléments qui doivent obligatoirement y figurer en vous servant d'un exemple «simulé» : une lettre qui pourrait être rédigée par une étudiante japonaise faisant une demande de chambre à la Cité Universitaire :

(Qui?)
INOUE Yashushi
12, rue Cassette
75006 Paris
01 42 53 75 18
inoué@wanadoo.fr

(D'où et quand?)
Paris, le 12 octobre 2004

(À qui?)
Madame, Monsieur,

(Pourquoi?)
1. Présentation + justification
Étudiant japonais en langue française, je souhaiterais…

2. Demande
Je vous serais reconnaissant de bien vouloir m'adresser votre documentation sur…
ou
Je me permets de vous écrire pour vous demander…

3. Remerciements

En vous remerciant par avance de l'attention que vous voudrez bien porter à ma lettre…

ou

Avec mes remerciements anticipés…

4. Formule de politesse

Je vous prie d'agréer, Madame, Monsieur, mes salutations distinguées.

5. Signature

3. Faire un plan

Les apprenants, en grand groupe, font alors le plan d'une lettre à rédiger (par exemple une demande de chambre universitaire), sur le modèle inscrit au tableau. Ils rédigeront ensuite chez eux, avec pour consigne de mettre entre parenthèses les questions (Qui? À qui? D'où? Quand? Pourquoi?) et les différentes parties du plan (1, 2, 3, 4, 5) comme ce qui a été fait au tableau. Il est très important que les apprenants notent sur leur copie les différentes parties de leur lettre; ils en vérifieront ainsi la bonne organisation.

Remarques

Insister sur l'aspect formel de la correspondance en français, sur l'orthographe, la ponctuation, le ton en fonction de l'interlocuteur, la formule de politesse assez neutre donc réutilisable dans beaucoup de situations. D'autre part cet exercice pourra être l'occasion, si cela s'avère nécessaire, de revoir le conditionnel, le subjonctif, la place des pronoms.

51. Écrire sur soi

Niveau : B1-B2.
Durée : 1h30 en classe, rédaction à la maison.
Support : Un extrait de *Mémoires d'une jeune fille rangée,* roman de Simone de Beauvoir, Gallimard, 1958.
Objectif : Imiter la composition d'un texte littéraire pour écrire sur soi et sur sa famille.
Matériel : Un tableau.

Remarques sur l'objectif

Il s'agit d'améliorer les compétences d'expression écrite des apprenants en leur demandant d'exprimer leurs sentiments sur un événement fondamental et intime qui est celui de leur naissance et de leur place dans la famille.

Le thème choisi peut sembler déroutant. Cependant, notre expérience pédagogique montre qu'il est très productif : en effet, non seulement chaque apprenant a un souvenir réel à raconter mais il est fortement impliqué dans son récit.

Toutefois, si cette charge émotionnelle et affective est supposée faciliter l'expression, l'évocation d'événements familiaux peut s'avérer douloureuse, malaisée ou impudique. Aussi est-il essentiel de passer par la médiation d'un texte littéraire dans lequel sont exprimés les souvenirs d'un écrivain, et d'analyser les procédés linguistiques mis en œuvre pour les utiliser à son tour.

C'est un exercice d'imitation de texte, avec des contraintes bien précises qui permettront à chacun de (bien) s'exprimer en français à la manière du modèle étudié, tout en ayant la possibilité de raconter une expérience authentique et particulière, ce qui est gratifiant.

▨ DÉROULEMENT DE L'ACTIVITÉ

1. Préparation : conversation informelle

Ne pas dévoiler tout de suite les objectifs de l'activité proposée, pour favoriser des échanges libres avant le travail demandé. Ne pas distribuer donc le texte au début de la séance.

4. Les fiches pratiques

Commencer la séance par une série de questions sur la naissance pour préparer la compréhension du texte et installer une atmosphère de conversation informelle (15 minutes environ).

Les questions portent d'abord sur les circonstances de la naissance. Par exemple : «Nous savons tous quel jour nous sommes nés, mais savez-vous à quelle heure exactement ? Et où précisément ? À la maison ? À l'hôpital ?» Les réponses des apprenants permettent de comparer les différences culturelles.

Puis, élargir à la famille par d'autres questions, par exemple : «Où vous situez-vous dans la famille ? Êtes-vous l'aîné ? Est-ce facile ou difficile d'être enfant unique/être le dernier d'une famille nombreuse ?» L'objectif est d'obtenir déjà l'expression de quelques sentiments.

Enfin, en venir à la petite enfance de chacun. Par exemple : «Comment étiez-vous quand vous étiez bébé ? Avez-vous vu des photos de vous/de vos parents à l'époque de votre naissance ? Y a-t-il des albums de photos chez vous ? Les regardez-vous souvent ?» Si certains apprenants ne répondent pas facilement, ne pas insister car cela serait indélicat. Cette phase n'est que la préparation à une meilleure compréhension du texte.

2. Lecture et analyse du texte

Distribuer le texte en rappelant que l'auteur évoque cette période de sa vie.

LE TEXTE DE L'EXTRAIT

Je suis née à quatre heures du matin, le 9 janvier 1908, dans une chambre aux meubles laqués de blanc, qui donnait sur le boulevard Raspail. Sur les photos de famille prises l'été suivant, on voit de jeunes dames en robes longues, aux chapeaux empanachés de plumes d'autruche, des messieurs coiffés de canotiers et de panamas qui sourient à un bébé : ce sont mes parents, mon grand-père, des oncles, des tantes, et c'est moi. Mon père avait trente ans, ma mère vingt et un, et j'étais leur premier enfant. Je tourne la page de l'album ; maman tient dans ses bras un bébé qui n'est pas moi ; je porte une jupe plissée, un béret, j'ai deux ans et demi, et ma sœur vient de naître. J'en fus, paraît-il, jalouse, mais pendant peu de temps. Aussi loin que je me souvienne, j'étais fière d'être l'aînée : la première. Déguisée en chaperon rouge, portant dans mon panier galette et pot de beurre, je me sentais plus intéressante qu'un nourrisson cloué dans son berceau. J'avais une petite sœur : ce poupon ne m'avait pas.

> De mes premières années, je ne retrouve guère qu'une impression confuse : quelque chose de rouge, et de noir, et de chaud. L'appartement était rouge, rouges la moquette, la salle à manger Henri II, la soie gaufrée qui masquait les portes vitrées, et dans le cabinet de papa les rideaux de velours ; les meubles de cet antre sacré étaient en poirier noirci ; je me blottissais dans la niche creusée sous le bureau, je m'enroulais dans les ténèbres ; il faisait sombre, il faisait chaud et le rouge de la moquette criait dans mes yeux. Ainsi se passa ma toute petite enfance. Je regardais, je palpais, j'apprenais le monde, à l'abri.

Les apprenants sont alors préparés à comprendre le texte qui est lu par l'enseignant, lentement sur un ton un peu confidentiel, afin d'en faire ressentir le caractère intime.

Puis, à partir des interrogations des apprenants, expliciter le vocabulaire difficile et les points de grammaire incompris.

Demander ensuite à tout le groupe de trouver trois moments importants dans le texte. Tous les apprenants cherchent ensemble.

Structurer au tableau les réponses :

1er moment	2e moment	3e moment
présentation de l'auteur, circonstances de naissance, objets liés au milieu social	description de photos, vocabulaire/lien de parenté, vêtements, attitudes, expressions	une impression enfantine, couleur, sensations

Faire observer les procédés linguistiques pertinents qui réalisent ces trois moments et demander aux apprenants de les souligner dans le texte. Par exemple :
– des présentatifs et déterminants (ce sont mes…, c'est moi…, j'étais leur…) ;
– des prépositions (à 4h du matin…, le 9…, dans…) ;
– la caractérisation (en robes longues…, aux chapeaux…, coiffés de…) ;
– les temps et modes (mon père avait…, je tourne une page…, aussi loin que je me souvienne…, ainsi se passa ma toute petite enfance…) ;
Et ainsi de suite.

3. Préparation à la rédaction d'un texte

Demander aux apprenants de recopier le tableau. Vérifier que tout le monde a bien souligné les mêmes éléments.

Leur présenter alors l'objectif final qui est d'imiter le texte (par écrit chez eux) :
– en racontant leur propre naissance ;
– en décrivant une ou deux photos de leur album familial ;
– en évoquant des sensations enfantines.

Ils doivent donc respecter le contenu et l'ordre de ces trois moments du texte de Simone de Beauvoir et réutiliser toutes les expressions linguistiques soulignées.

Remarques

Cet exercice contraignant engendre des textes souvent très beaux et émouvants. Cependant, si un apprenant refuse vraiment d'écrire à propos de lui-même, il peut toujours écrire sur un moi imaginaire, mais il faut le convaincre que faire le récit d'événements réels facilite la mémorisation des éléments linguistiques mis en œuvre.

52. De la lecture
à la création du texte expressif

Niveau :	B1.
Durée :	1h30.
Support :	«La cravate» de Sophie Calle, dans *Des histoires vraies + dix*, Actes Sud, 2002.
Objectif :	Prendre conscience du rôle des caractérisants comme marqueurs d'un point de vue.
Matériel :	Le texte sur transparent, un rétroprojecteur, un tableau, des photocopies du texte.
Salle :	Chaises et tables mobiles pour regroupement.

Remarques sur l'auteur

Sophie Calle est née le 9 octobre 1953 à Paris. Depuis 1979, elle développe ses récits factuels et fictionnels, d'inspiration autobiographique, accompagnés de photographies. Jouant sur tous les entrelacs possibles entre le texte et l'image, entre fiction et non fiction, elle s'attelle à la question de la signature, de la propriété, du secret, de l'anonymat, de la disparition, de la substitution à l'autre.

Dans *Des histoires vraies + dix*, elle relate des fragments de sa vie en accompagnant chaque texte d'une photographie de l'objet raconté. On peut y lire la photographie comme illustration du texte ou le texte comme prolongement de la photographie.

Remarques méthodologiques

L'intérêt du rétroprojecteur est, après le travail individuel ou en sous-groupes, que l'attention du groupe est concentrée sur le même objet ; on évite ainsi la dispersion des étudiants. Rappelons à ce titre qu'il est bon, lors des activités de mise en commun, de veiller à la «présence» de tous les étudiants, en les interpellant, par exemple.

■ DÉROULEMENT DE L'ACTIVITÉ

1. Préparation

Choisir (ou créer) un texte comportant des caractérisants du nom. Classer les caractérisants par forme. Préparer le rappel de l'explication

4. Les fiches pratiques

de la formation du groupe prépositionnel, du gérondif et de la proposition relative, et de la place de l'adjectif.

2. Lecture et analyse du texte

Distribuer des copies du texte. Demander aux étudiants de le lire, puis de relever (par groupe de deux) tous les termes qui caractérisent les noms. Les aider en leur proposant de se poser, pour chacun de ces mots, la question «comment?». Les apprenants se mettent par groupe de deux et recherchent ensemble les caractérisants.

LE TEXTE DE L'EXTRAIT

La cravate

Je l'ai vu un jour de décembre 1985. Il donnait une conférence. Je l'ai trouvé séduisant. Une seule chose m'a déplu: sa cravate aux tons criards. Le lendemain je lui ai fait parvenir anonymement une discrète cravate marron. Quelques jours plus tard, je l'ai croisé dans un restaurant: il portait ma cravate. Elle jurait avec sa chemise. J'ai décidé alors de lui envoyer, tous les ans, pour Noël, un vêtement à mon goût. Il a reçu en 1986 une paire de socquettes grises en soie, en 1987 un gilet noir en alpaga, en 1988 une chemise blanche, en 1989 des boutons de manchette dorés, en 1990 un caleçon à motifs de sapins de Noël, rien en 1991, et en 1992 un pantalon de flanelle grise. Le jour où il sera totalement vêtu par mes soins, j'aimerais le rencontrer.

---

3. Mise en commun

Demander aux étudiants, en suivant l'ordre du texte, de citer les caractérisants. Au tableau, écrire les différents mots ou groupes de mots (voir ci-dessous). Les entourer ou les souligner sur le tableau si vous avez un rétroprojecteur.

---

de décembre
aux tons criards
discrète/marron
…

Amener ensuite les étudiants à remarquer la formation des caractérisants: groupe prépositionnel, proposition relative, adjectif.

Il est important ici de dresser l'inventaire des possibles qui ne sont pas tous dans le texte, en demandant aux apprenants quelles autres préposi-tions on peut utiliser pour former des groupes prépositionnels et de donner des exemples. Les connaissances personnelles de chaque étudiant viennent enrichir le savoir du groupe et le «tableau de caractérisation» prend forme par et pour les étudiants. En effet, il ne faut pas oublier que le groupe d'apprenants a des connaissances diverses et que le «construire ensemble», par l'oral et l'échange, favorise l'assimilation du système et stimule les apprenants qui prennent conscience de la richesse de leurs propres connaissances et, par suite, de leur autonomie. L'enseignant est là pour faire émerger autant que transmettre.

4. Vers une mise en écriture

L'objectif de cette phase est la prise de conscience du poids des carac-térisants et le passage vers une mise en écriture par les apprenants.

Demander à un étudiant de lire le texte complet, puis à un deuxième étudiant de lire le texte «nu». Demander alors au groupe leurs impres-sions sur l'un et l'autre. Proposer ensuite aux étudiants de marquer le texte de leur propre point de vue en remplaçant systématiquement les carac-térisants par d'autres de même forme. On peut demander le remplacement par des termes qui pourront être de forme différente (groupe prépositionnel par adjectif par exemple, mais laissé au choix des apprenants).

Remarques

Ce travail, mené en grand groupe, permet de vérifier la bonne utilisation des différentes formes de caractérisation par les apprenants. On peut, dans le cadre de ce texte, les amener à produire des gérondifs, qui n'apparaissent pas ici et qui caractérisent également le nom. Il est surtout l'occasion d'enrichir le vocabulaire des apprenants en établissant une liste la plus exhaustive qui soit pour chaque nom caractérisé (forme, matière, couleur…).

5. Choix d'un nouveau point de vue

L'objectif de cette dernière phase est l'appropriation par les apprenants du système de caractérisation comme marqueur d'un point de vue «ciblé» sur un texte.

Proposer aux apprenants (par groupe de deux) de choisir un point de vue très orienté, révélateur d'un caractère – par exemple, optimiste, pes-simiste, précis, imprécis… – et de compléter le texte avec un maximum de caractérisants traduisant ce tempérament.

4. Les fiches pratiques

Le caractère défini préalablement contraint les apprenants à effectuer un choix en fonction d'un objectif précis et les amène ainsi à mesurer pleinement le poids des caractérisants dans un texte, au-delà de la simple «précision». Ils s'approprient ainsi le système et accèdent à l'autonomie en écriture.

6. Lecture des nouveaux textes

Pour terminer, on peut (et cela est conseillé) faire lire leur texte par quelques groupes d'apprenants volontaires et demander aux autres d'y retrouver le caractère sous-jacent. Cela permet aux auteurs des textes de prendre la mesure de leurs choix en constatant l'effet produit sur le lecteur.

Proposition de correction

Je l'ai vu un jour *de décembre 1985*. Il donnait une conférence. Je l'ai trouvé séduisant. Une *seule* chose m'a déplu : sa cravate *aux tons criards*. Le lendemain je lui ai fait parvenir anonymement une *discrète* cravate *marron*. Quelques jours plus tard, je l'ai croisé dans un restaurant : il portait ma cravate. Elle jurait avec sa chemise. J'ai décidé alors de lui envoyer, tous les ans, pour Noël, un vêtement *à mon goût*. Il a reçu en 1986 une paire de socquettes *grises en soie*, en 1987 un gilet *noir en alpaga*, en 1988 une chemise *blanche*, en 1989 des boutons de manchette *dorés*, en 1990 un caleçon *à motifs de sapins de Noël*, rien en 1991, et en 1992 un pantalon *de flanelle grise*. Le jour *où il sera totalement vêtu par mes soins*, j'aimerais le rencontrer.

Suggestions de transformation
de décembre : d'automne (saisons), de pluie (météo), de marché (activité)...
seule : petite...
aux tons criards : au nœud mal fait, au bout carré...
discrète : jolie, fine...
marron : jaune, verte...
à mon goût : à la mode, au tissu léger...
en soie : en laine, en coton, en fil, en acrylique...
en alpaga : en soie, en cuir, en lin...
à motifs de sapins de Noël : à boutons, à ficelle, à élastique, à motifs de camions...
de flanelle : de coton, de jersey, de lin, de laine...
où il sera totalement vêtu par mes soins : où il y aura une éclipse, où je lui aurai envoyé une tenue complète, où je ferai ma dixième exposition...

---

53. De la ponctuation au sens

Niveau:	A2-B1.
Durée:	1h30.
Support:	Un texte court choisi ou écrit par l'enseignant.
Objectif:	Prendre conscience de la ponctuation comme marqueur de sens.
Matériel:	Un tableau, une «grille de possibilités» (phase 4).

■ DÉROULEMENT DE L'ACTIVITÉ

1. Les signes de ponctuation

L'objectif de cette étape est d'établir la liste des signes de ponctuation et d'en préciser la fonction.

Demander aux apprenants quels signes de ponctuation ils connaissent et quelle est leur fonction. Écrire au tableau les différents signes à la verticale et, à l'horizontale, en écrire la fonction.

Remarques

Il est intéressant de remarquer, lors de cette activité, que les apprenants bien souvent découvrent le nom même des signes de ponctuation. On peut en profiter, ici, pour rappeler l'emploi de la majuscule. En effet, nombre d'étudiants, notamment asiatiques, ne l'utilisent pas couramment. Cette étape constitue une entrée en matière, une mise au point.

2. Un texte sans ponctuation

L'objectif de cette étape est de faire découvrir aux étudiants et par eux-mêmes le poids de la ponctuation dans un texte, et comment une virgule, un point, déplacés peuvent changer le sens du texte.

Écrire au tableau le texte sans ponctuation:

> L'homme au chapeau arrive dans la maison en sueur l'enfant l'observe tremblant le père se cache dans la cuisine un couteau à la main l'homme au chapeau appelle en criant l'enfant court dans l'escalier le père attend méfiant l'homme ouvre la porte de la cuisine un cri déchire le silence.

Demander aux étudiants de mettre eux-mêmes les signes de ponctuation après avoir recopié le texte.

Remarques

Demander aux apprenants de recopier le texte n'est pas par souci d'économie de papier, mais c'est un moyen pour l'apprenant de fixer la langue écrite.

3. Mise en commun

Inviter un étudiant à venir mettre au tableau la ponctuation. Demander ensuite aux autres étudiants ce qu'ils en pensent. Certains annoncent alors qu'ils n'ont pas mis la ponctuation au même endroit. C'est là que commence la prise de conscience. Proposer de considérer la ponctuation du tableau et de répondre à des questions.

– Qu'en pensez-vous ?

– Moi, j'ai mis un point ici, une virgule là…

– Ah ah ?! Alors voyons. Avec la première ponctuation, voyons ce que raconte le texte. Qui est dans la maison ? Qui est en sueur ? Qui est tremblant ? Où va le père ? Où est la mère ? Qui tient le couteau ? Qui crie ?… Bon, très bien. Maintenant voyons vos propositions…

On repose les mêmes questions. Ah, les réponses sont différentes, le texte a changé de sens par le déplacement des signes de ponctuation.

4. La «grille de possibilités»

Contrairement à l'étape précédente, l'objectif de cette étape est que les apprenants partent du sens et mettent la ponctuation appropriée. Sur ce court texte, les possibilités sont multiples. La grille que nous proposons n'en montre qu'un petit nombre, mais largement suffisant pour l'exercice :

	1	2	3	4	5	6
L'homme						
arrive dans la maison	•	•		•		•
est en sueur	•	•		•		•
est dans la cuisine	•					•
a un couteau à la main		•				•
crie	•	•		•		•
est méfiant	•	•	•			
pousse la porte de la cuisine	•	•			•	•

	1	2	3	4	5	6
L'enfant						
est dans la maison			●		●	
est en sueur			●		●	
tremble	●	●	●			●
crie			●	●	●	
court dans l'escalier	●	●	●	●	●	
Le père						
tremble				●	●	
se cache dans la cuisine		●	●	●	●	
a un couteau à la main			●	●	●	
attend dans l'escalier						●
est méfiant				●	●	●
Le cri						
vient de la cuisine		●	●			
vient d'on ne sait où	●	●			●	●

Expliquer le fonctionnement de la grille: «Dans cette grille, chaque colonne représente une version différente de l'histoire. Vous allez piocher un papier. Sur ce papier, il y a un numéro qui correspond à une colonne.» Faire tirer à chaque apprenant un papier numéroté de 1 à 6. Leur demander alors de placer les signes de ponctuation pour exprimer les idées cochées dans la colonne correspondant au numéro tiré. (Consigne: «Vous mettrez sur le texte la ponctuation pour exprimer les idées cochées dans la colonne.»)

5. Mise en commun

Proposer à quelques apprenants de lire leur texte, pour les premiers en disant la ponctuation; pour les suivants en taisant la ponctuation mais en marquant les pauses à la lecture. Demander au reste du groupe de reconnaître sur la grille tout en écoutant la version proposée. Pour cela, leur conseiller de cocher au fur et à mesure sur la grille le sens exprimé. À la fin de la lecture, laisser le temps aux apprenants de faire le point de leur écoute et leur demander quel était le numéro tiré.

Cette étape représente un double intérêt. La maîtrise par l'apprenant de la ponctuation ainsi que l'écoute faisant sens.

Proposition de correction

1. L'homme au chapeau arrive dans la maison, en sueur. L'enfant l'observe, tremblant. Le père se cache. Dans la cuisine, un couteau à la main, l'homme au chapeau appelle en criant. L'enfant court dans l'escalier. Le père attend. Méfiant, l'homme ouvre la porte de la cuisine. Un cri déchire le silence.

2. L'homme au chapeau arrive dans la maison, en sueur. L'enfant l'observe, tremblant. Le père se cache dans la cuisine. Un couteau à la main, l'homme au chapeau appelle en criant. L'enfant court dans l'escalier. Le père attend. Méfiant, l'homme ouvre la porte de la cuisine. Un cri déchire le silence.

3. L'homme au chapeau arrive. Dans la maison, en sueur, l'enfant l'observe, tremblant. Le père se cache dans la cuisine, un couteau à la main. L'homme au chapeau appelle. En criant, l'enfant court dans l'escalier. Le père attend. Méfiant, l'homme ouvre la porte. De la cuisine, un cri déchire le silence.

4. L'homme au chapeau arrive dans la maison, en sueur. L'enfant l'observe. Tremblant, le père se cache dans la cuisine, un couteau à la main. L'homme au chapeau appelle. En criant, l'enfant court dans l'escalier. Le père attend, méfiant. L'homme ouvre la porte. De la cuisine, un cri déchire le silence.

5. L'homme au chapeau arrive. Dans la maison, en sueur, l'enfant l'observe. Tremblant, le père se cache dans la cuisine, un couteau à la main. L'homme au chapeau appelle. En criant, l'enfant court dans l'escalier. Le père attend, méfiant. L'homme ouvre la porte de la cuisine. Un cri déchire le silence.

6. L'homme au chapeau arrive dans la maison, en sueur. L'enfant l'observe, tremblant. Le père se cache. Dans la cuisine, un couteau à la main, l'homme au chapeau appelle en criant. L'enfant court. Dans l'escalier, le père attend, méfiant. L'homme ouvre la porte de la cuisine. Un cri déchire le silence.

54. Décrire une coutume de son pays

Niveau:	A2-B1.
Durée:	1h30 à 2 heures en classe, rédaction à la maison.
Support:	Un texte sur le Noël provençal extrait d'un dossier Internet (http://www.tarascon.org/fr/culture_noel.php).
Objectif:	Analyser un texte à valeur culturelle et s'en servir comme modèle pour décrire une coutume de son pays.
Matériel:	Un tableau,
Salle:	Salle multimédia.

Remarques sur l'objectif

Nous savons que les apprenants écrivent d'autant mieux qu'ils ont quelque chose de précis à dire. Nous leur demandons de décrire une coutume de leur pays, autour d'un repas car généralement il en existe de traditionnels dans toutes les cultures. De plus, parler de nourriture est très motivant.

Remarques sur le support

Les sites Internet sont des supports adéquats et riches pour approcher la culture d'un pays. Les images culturelles, l'élargissement de la recherche, permise par les liens inter sites, favorisent la compréhension et la mémorisation des informations. Nous avons ainsi choisi un texte extrait d'un site. Il est cependant possible de faire cette activité avec tout autre type de texte culturel.

Il est préférable d'utiliser un texte en contexte, aussi travaillerons-nous ce texte à la période de Noël (cf. http://www.fle.fr, le cartable connecté du site propose des dossiers très bien faits sur les coutumes françaises en fonction du calendrier de l'année).

▦ DÉROULEMENT DE L'ACTIVITÉ

1. Découverte du site

L'enseignant et les apprenants ouvrent ensemble le site. La première page, «Les traditions de Noël», étant dense (images et textes), guider les apprenants en sélectionnant l'image provençale des «Santons» et en lisant le texte qui l'accompagne. Expliquer les mots clés porteurs de sens culturels forts: «Nativité», «crèche», «messe de minuit», «veillées»; ces termes sont repris sur la page en caractères gras et sont explicités chacun par un mini texte. En fonction des connaissances des apprenants sur ces thèmes, choisir de lire un ou plusieurs de ces mini textes (en privilégiant les termes communs à toutes les régions de France).

Poser des questions pour vérifier la compréhension, comparer avec les coutumes des apprenants, afin de maintenir un climat de conversation dans le groupe et de préparer déjà la suite de l'activité.

Cette première phase ne doit pas être trop longue et peut être suivie d'une pause.

2. Découverte du texte «Le gros soupa»

Rappeler aux apprenants qu'ils vont travailler sur le repas de Noël, à partir du texte de la page intitulée «Les gourmandises de Noël». Enseignant et apprenants regardent ensemble la photo couleur (magnifique) des 13 desserts provençaux et la commentent.

Puis imprimer les trois pages du site et les distribuer aux apprenants; à partir de ce moment l'activité se poursuit sans l'ordinateur.

Faire lire les parties du texte que vous avez sélectionnées: à savoir, le paragraphe introducteur qui présente les coutumes de Noël et le texte décrivant le dîner du Noël provençal, «Le gros soupa».

Au fur et à mesure de la lecture, faire souligner les expressions récurrentes qui décrivent la coutume et la symbolique qu'elle contient.

Par exemple: «la tradition», «rite», «coutume», «symbole/symboliser», «représente», «la croyance», «le caractère familial», etc.

Faire souligner également les procédés de caractérisation. Par exemple: «riche de», «empreint de», «ancré dans», «chargé de», «composé de», «hautement symbolique».

3. Résumé en groupes

La lecture commune achevée, il est nécessaire de faire un résumé des informations transmises pour s'assurer de la compréhension et de l'assimilation, d'autant qu'elles sont nombreuses et denses.

Répartir alors les apprenants par groupes de deux. Ils doivent résumer le texte par écrit en répondant à la consigne suivante: «Décrivez le déroulement du «gros soupa» et la symbolique qu'il contient.»

Passer dans les groupes pour vérifier la mise en forme et la justesse des informations.

4. Mise en commun au tableau

Les groupes lisent leur résumé et l'enseignant note les informations importantes sur deux colonnes au tableau. Par exemple :

DÉROULEMENT		SYMBOLES
3 nappes blanches		
3 chandelles blanches	=	chiffre 3 : la Trinité
13 desserts	=	chiffre 13 : la Cène
les dattes	=	origine orientale du Christ
les 4 mendiants	=	les 4 ordres religieux
Etc.		

5. Rédaction avec contraintes

Les apprenants devront à leur tour (chez eux) sur le modèle du texte, décrire une coutume de leur région ou de leur pays, en essayant de :
– respecter le plan du texte modèle ;
– restituer les éléments symboliques de la coutume choisie ;
– réemployer à cet effet, les expressions pertinentes soulignées (cf. phase 2 : les procédés de caractérisation et le vocabulaire de la description).

Les mots étrangers authentiques seront mis en italique et explicités par un mot plus ou moins équivalent en français, comme dans le texte (exemple : « pompe à huile » est une sorte de galette).

Remarques

Selon le niveau du groupe et les exercices antérieurs, exiger le respect d'une partie ou de l'ensemble des contraintes.

Annexe

Proposition de niveaux communs de référence (extrait du Référentiel européen des langues, Conseil d'Europe, Didier-Hatier, 2001).

Utilisateur expérimenté	C2	Peut comprendre sans effort pratiquement tout ce qu'il/elle lit ou entend. Peut restituer faits et arguments de diverses sources écrites et orales en les résumant de façon cohérente. Peut s'exprimer spontanément, très couramment et de façon différenciée et peut rendre distinctes de fines nuances de sens en rapport avec des sujets complexes.
Utilisateur expérimenté	C1	Peut comprendre une grande gamme de textes longs et exigeants, ainsi que saisir des significations implicites. Peut s'exprimer spontanément et couramment sans trop apparemment devoir chercher ses mots. Peut utiliser la langue de façon efficace et souple dans sa vie sociale, professionnelle ou académique. Peut s'exprimer sur des sujets complexes de façon claire et bien structurée, décrire ou rapporter quelque chose et manifester son contrôle des outils d'organisation, d'articulation et de cohésion du discours.
Utilisateur indépendant	B2	Peut comprendre le contenu essentiel de sujets concrets ou abstraits dans un texte complexe; comprend une discussion spécialisée dans son domaine professionnel. Peut communiquer avec un degré de spontanéité et d'aisance tel qu'une conversation avec un locuteur natif ne comporte de tension ni pour l'un ni pour l'autre. Peut s'exprimer de façon claire et détaillée sur une grande gamme de sujets, émettre un avis sur un problème et donner les avantages et les inconvénients de différentes possibilités.

Utilisateur indépendant	B1	Peut comprendre les points essentiels quand un langage clair et standard est utilisé et s'il s'agit de choses familières dans le travail, à l'école, dans les loisirs, etc. Peut se débrouiller dans la plupart des situations linguistiques rencontrées en voyage dans le pays de la langue cible. Peut produire un discours simple et cohérent sur des sujets familiers et dans ses domaines d'intérêt. Peut raconter un événement, une expérience ou un rêve, décrire un espoir ou un but et donner de brèves raisons ou explications pour un projet ou une idée.
Utilisateur élémentaire	A2	Peut comprendre des phrases isolées et des expressions fréquemment utilisées en relation avec des domaines immédiats de priorité (par exemple, des informations personnelles sur des achats, le travail, l'environnement familier). Peut communiquer dans une situation courante simple ne comportant qu'un échange d'informations simple et direct, et sur des activités et des sujets familiers. Peut décrire avec des moyens simples une personne, un lieu, un objet, sa propre formation, son environnement et évoquer une question qui le/la concerne.
Utilisateur élémentaire	A1	Peut comprendre et utiliser des expressions familières et quotidiennes et des phrases très simples qui visent à satisfaire des besoins simples et concrets. Peut se présenter ou présenter quelqu'un et poser à une personne des questions la concernant – par exemple son nom, son lieu d'habitation, ses relations, ses biens, etc. – et peut répondre au même type de questions. Peut communiquer de façon simple si l'interlocuteur parle lentement et distinctement et se montre coopératif.

Bibliographie

Méthodologie

AUSTIN J.-L. *Quand dire, c'est faire,* Collection Points Essais, n° 235, Le Seuil, 1991. (Le fondateur de la notion d'actes de parole.)

BARTHES R., «Le grain de la voix», dans *Entretiens,* Le Seuil, 1962

BERARD E., *L'approche communicative,* Clé international, 1991.

BOURDIEU P., *Ce que parler veut dire. L'économie des échanges verbaux,* Fayard, 1982. (Pour analyser les différents registres de parole et la notion de norme sociale.)

CULIOLI A., *Pour une linguistique de l'énonciation,* Ophrys, 1999.

GAONAC'H D., *Théories d'apprentissage et acquisistion d'une langue étrangère,* Hatier-Didier, 1991

GIORDAN A., *Apprendre,* Belin, 1998. (En particulier, lire le chapitre «Le désir d'apprendre», pp. 95-112.)

HALL Edward T., *La dimension cachée,* Collection Points n° 89, Le Seuil, 1966. (Pour comprendre et analyser l'importance des gestes, de la proxémie dans toute communication orale.)

JAKOBSON R., *Essai de linguistique générale,* Éditions de Minuit (Tome I, 1963; Tome II, 1973).

JAKOBSON R., «Les fonctions du langage» dans *Questions de poétique* (Points Essais n° 85), Le Seuil, 1977.

DE SALINS G. D., *Une introduction à l'ethnographie de la communication. Pour la formation à l'enseignement du français langue étrangère,* Didier, 1992. (Pour construire des activités en classe à propos de l'ethnographie de la communication.)

PIATELLI-PALMARINI M., Le débat entre Jean Piaget et Noam Chomsky organisé et recueilli par Massimo Piatelli-Palmarini, Centre de Royaumont pour une science de l'homme, Le Seuil, 1979.

TROCMÉ-FABRE H., *J'apprends donc je suis,* Éditions d'Organisation, 1992. (Pour comprendre le fonctionnement du cerveau humain et le respecter dans la manière de faire travailler les apprenants, en particulier la saisie de l'information et la mémorisation.)

ZARATE G., *Représentations de l'étranger et didactique des langues* collection, CREDIF, Essais, Didier, 1993.

Conseil de la coopération culturelle, Division des langues vivantes, Strasbourg, *Cadre européen commun de référence pour les langues: apprendre, enseigner, évaluer,* Didier, 2001. (Les compétences par niveaux de A1 à C2.)

La phonétique

BOYER H., BUTZBACH M. & PENDANX M.-C., *Nouvelle introduction à la didactique du français langue étrangère*, Clé International, 1994.

CALLAMAND M., Méthodologie de la prononciation du français, Clé International, Paris, 1981.

CHAMPAGNE-MUZAR, BOURDAGES C. & JOHANNE S., *Le point sur la phonétique*, Clé International, 1998.

CARTON, F, *Introduction à la phonétique du français*, Bordas, Paris, 1974.

DENES B. & PINSON, E., *La chaîne de la communication verbale*, Éditions des Laboratoires Bell, 1963.

DONOHUE-GAIJDET M.-L, *Le vocalisme et le consonantisme du français* (p. 105), Delagrave, 1985.

GUIMBRETIERE E., *Phonétique et enseignement de l'oral*, Didier/Hatier, 1994.

GUIMBRETIERE E., *Au plaisir des sons*, Hatier, 1989.

LÉON M., *Exercices systématiques de prononciation française*, Hachette, 1964.

LÉON M., LÉON P., *La prononciation du français*, Nathan Université, 1997.

LÉON P., *Phonétisme et Prononciation du Français*, Nathan Université, 1992.

LÉON P., *La prononciation du français standard*, Didier, 1992.

LEYBRE-PEYTARD M. & MALANDRAIN J.-L, *Décrire et découper la parole*, BELC, 1982.

MALMBERG B., *La phonétique*, PUF (Que sais-je ?), 1971.

WALTER H., *Le français dans tous les sens*, Robert Laffont, 1994.

WALTER H., *Honni soit qui mal y pense. L'incroyable histoire d'amour entre le français et l'anglais*, Robert Laffont, 2001.

WEINREICH U., *Languages in contact, findings and problems*, Mouton, 1970.

WIOLAND F., *Prononcer les mots du français, des sons et des rythmes*, Hachette, 1991.

YAGUELLO M., *Alice au pays du langage (pour comprendre la linguistique)*, Le Seuil, 1981. (Pour découvrir les bases de la linguistique.)

La phonétique appliquée

ABRY D. & CHALARON M., *Phonétique 350 exercices*, Hachette, 1994.

AKYÜZ A., BAZELLE-SHAHMAEI B., BONENFANT J., FLAMENT M.-F., LACROIX J., MORIOT D., RENAUDINEAU P., *Exercices d'oral en contexte, niveau débutant*, Hachette, 2001.

CHARLIAC L. & MOTRON A., *Phonétique progressive du français*, Clé International, 1998.

DONOHUE-GAUDET, M-L., *Vocalisme et consonantisme du français*, Delagrave, Paris, 1985.

GODIN-MCCARRON, D. *et al.*, *Pas de problème* (CD-ROM d'autoformation aux français des affaires), IFRALE, 2000.

KANEMAN-POUGATCH M. & PEDOYA-GUIMBRETIERE E., *Plaisir des Sons,* Hatier/Didier, 1997.

LÉON M., *Exercices systématiques de prononciation française,* Hachette/BELC, 1995.

RENARD R. & GUBERINA P., *La méthode verbo-tonale de correction phonétique,* Didier, 1973.

TASHDJIAN A., «Exercices de Phonétique corrective», dans *SLFE* n° 5, Paris 3, 1997.

YAGUELLO M., *Histoire de Lettres,* Le Seuil, 1990.

L'écrit

CATACH N., *L'orthographe française : traité théorique et pratique,* Nathan, 1986. (Incontournable!)

CATACH N., *L'Orthographe en débat,* Nathan, 1991. (Une défense et une illustration des rectifications de 1990 par celle qui fut la grande spécialiste de l'histoire de l'orthographe dans son acception la plus large.)

CATACH N., *La Ponctuation,* PUF (Que sais-je?), 1996. (L'histoire des signes et de l'évolution de leurs emplois).

COURTILLON J., *Pour élaborer un cours de FLE,* Hachette, 2002. (Un véritable livre de chevet pour tout enseignant de FLE.)

DRILLON J., *Traité de la ponctuation française,* Gallimard, 1991. (Un indispensable pour qui veut s'initier aux finesses de la ponctuation, à ses exigences aussi, pour une plus grande clarté de l'expression, mais également pour la beauté du style.).

CORNAIRE C. & RAYMOND P. M., *La production écrite,* Clé International, 1994. (Bonne mise au point sur la production écrite.)

CUQ J.-P. & GRUCA I., *Cours de didactique du FLE et langue seconde,* PUG, 2002.

GOODY J., *La raison graphique, la domestication de la pensée sauvage,* Éditions de Minuit, 1979. (À lire si vous voulez devenir un spécialiste de l'écrit.)

HUCHON M., *Histoire de la langue française,* Le livre de poche, 2002. (Ce petit livre en dit long: pensé pour les non-spécialistes auxquels des résumés encadrés et un glossaire sont plus spécialement destinés, c'est un ouvrage à la fois clair et complet sur l'histoire de la langue.)

MOIRAND S., *Situations d'écrit,* Clé International, 1979. (Analyse de la communication écrite.)

PERY-WOODLEY M.-P., *Les écrits dans l'apprentissage,* Hachette, 1993. (Compte-rendu d'expériences, intelligent, pragmatique... très *British*!)

VIGNER G., *Écrire*, Clé International, 1982. (Analyse de la pédagogie de l'écrit.)

WALTER H., *Le Français dans tous les sens*, préface d'André Martinet, Laffont (Le Livre de Poche), 1988. (Selon les propres mots de l'auteur: «on y verra comment a pu naître et se renforcer la conception d'une langue française mythique, réputée belle, claire et achevée, en même temps que se développait et se diversifiait la langue française de tous les jours, avec les qualités et les défauts d'une langue qui fonctionne».)

«Des pratiques de l'écrit» dans *Le Français dans le monde*, Recherches et Applications, n° spécial, février-mars 1993. (En particulier, l'article de Claire Blanche Benvéniste: « Le portrait de mon papa a les cheveux chauves», pp. 10-11 dans la partie initiale.),*Pour une théorie de la langue écrite*, Actes de la Table ronde internationale CNRS-HESO, Paris, 23-24 octobre 1986, ed. Nina CATACH, Éditions du CNRS, 1990.

Divers (écrit)

«Ma chère Maman» : *de Baudelaire à Saint-Exupéry, des lettres d'écrivains*, ouvage collectif, Gallimard, Folio 2, 2002.

JARDIN P., *Le nain jaune*, Folio, 1999.

Divers (oral)

CHEVALIER J. & GHEERBRANT A., *Dictionnaire des symboles*, Robert Laffont-Jupiter, 1982.

PASTOUREAU M., *Dictionnaire des couleurs de notre temps,* Bonneton; 1999.

YAICHE F., *Photos expression*, Hachette Éducation, 2002.

Imprimé en France par SEPEC à Péronnas
N° d'édition : 004813-02 - N° d'imprimeur : 090909230
Dépôt légal : septembre 2009